C0-AZU-887

決定版

ケンタロウ
絶品!おかず

ケンタロウ
絶品！
おかず

CONTENTS

ケンタロウ知っ得コラム

材料MEMO

本書の表記について

- 計量の単位は、１カップ＝200mℓ、大さじ１＝15mℓ、小さじ１＝５mℓ。すりきりではかる。１つまみは３本指でつまむ量の目安。ただし個人差があるので味を確認すること。
- 強火などの指示がない火かげんは、中火で調理する。
- 各料理の調理時間は、材料をそろえておき、手早く作り上げるまでの目安時間。湯を沸かす、下味をつける、もどす、冷ますなどの時間は含まない。
- この本では鉄製のフライパン、中華なべを使用。「よぉく熱して」とある場合は、煙が出るくらいまで熱する。「よく」とある場合は、煙が出る手前ぐらいまで。ただ「熱して」とある場合は、そこまでしなくてもよい。ただし、フッ素樹脂加工のものは表示に合わせてほどほどに熱する。
- オーブントースターまたはオーブンで焼く場合は、前もって指定の温度まであたためておく。
- 「こしょう」は粒こしょうをひいたもの、「酢」は米酢を使いたい。「小麦粉」は薄力粉のこと。
- 「だし」は削りがつおでとったもの（25ページを参照）を使用。「固形スープ」は四角く固めた固形タイプのスープのもと。コンソメ、ブイヨンの商品名で市販されている。

（本書は「ケンタロウのめし　汁　おかず」「ケンタロウ料理パラダイス①」「ケンタロウ料理パラダイス②」「ケンタロウの大好きレシピ101」他に掲載された料理を再構成した、ケンタロウ料理の決定版です）

Part 1

とにかく簡単でうまいのがいちばん。
すべての料理が絶対に簡単で
うまいほうがいいわけじゃないけど、
手間と暇を惜しみなく使ってこそ出る味だってあるけど、
でも、まずは、簡単でうまいのがいちばん。
家に帰って短時間で勝負する、
簡単でうまいイチ押しおかずたちです。

母・カツ代直伝の定番おかず

肉じゃが

KENTARO'S POINT

小林家の家宝レシピの肉じゃがは、つゆジャバジャバタイプではなくって、こってりカラリの、ごはんが進むおかずタイプ。
ポイントは、まずフライパンで作る、ということと、とにかく最初から最後まで強火で強気で煮込むということ。こってりカラリはフライパンと強火にかかってる。
玉ねぎと牛肉をいためて、味をつけて、じゃがいもをのせて、水を注いで煮る。その間ずぅーっと強火。
もし万一、じゃがいもがやわらかくなる前に水けがなくなりそうになったら、適宜水を足すこと。いもによってかたさもまちまちだからね。

材料(4人分)

牛切り落とし肉	200g
じゃがいも	4個
玉ねぎ	1個
砂糖	大さじ1
しょうゆ	大さじ2
みりん	大さじ1
ごま油	大さじ1

作り方

❶じゃがいもは大きめの一口大に切り、5～10分水にさらす。
❷玉ねぎは縦半分に切ってから薄切りにする。
❸牛肉は大きければ一口大に切る。
❹フライパンにごま油を熱し、玉ねぎを強火でいため、しんなりしたらフライパンの周囲に広げる。あいたところに肉を入れ、焼きつけるようにいためる。
❺肉の色が変わったら、砂糖、しょうゆ、みりんを加えていため合わせる。
❻水けをきったじゃがいもを加えて全体にならし、じゃがいもが半分ひたる程度の水を加え、蓋をして強火のまま煮る。
❼じゃがいもに竹ぐしを刺してスッと通ったら、木べらで全体を大きくまぜ、蓋をしないで汁けがほぼなくなるまで煮からめる。

1
玉ねぎ、牛肉をいため、しっかり味つけしてからじゃがいもを入れて煮る。煮汁はじゃがいもが半分出るぐらいが適量。

2
火かげんは玉ねぎ、牛肉をいためてから煮上げるまで、終始強火がポイント。じゃがいもに味がしみて、ホクッと煮上がる。

調理時間30分

合わせ調味料が味を決める！

牛肉とピーマンのみそいため

KENTARO'S POINT

みそ味ピーは、ごはんが何杯でもいける。そんな味。いためる前にまず、合わせ調味料を作っておくのがポイント。そのままではまざりにくいみそを、先に酒やみりんでしっかりときのばしてまぜておく。そうすれば調味のときには、あわてず騒がずジャーッと合わせ調味料を加えて、はいおしまい。こういうことは、小さいことだけれど、結果には大きく影響する大事なことだ。もし、みそをボテッとフライパンに入れて一生懸命まぜたりしていたら、ピーマンはどんどんヘナヘナになっちゃうし、肉だってかたくなる。みそ味いためは合わせ調味料に限るのです。

速攻献立例

ねぎスープ

材料（２人分）　牛切り落とし肉少々　ねぎ½本　しょうゆ大さじ１

作り方　❶ねぎはあらめのみじん切りにしてしょうゆをまぜる。
❷なべに水３カップをグラグラ煮立て、牛肉をほぐして入れ、アクをとる。弱火で２～３分煮て、①を適宜加えて味をととのえる。

ごまごはん

材料（２人分）　アツアツのごはん茶わん２杯分　いり白ごま適宜

作り方　ボールにごはんを入れてごまを加え、切るようにしてまぜる。好みでごま油少々をたらしてもうまい。

材料（２人分）

	牛切り落とし肉	200ｇ
	ピーマン	２個
	赤ピーマン	½個
	にんにく、しょうが	各１かけ
A	みそ	大さじ１
A	みりん	大さじ１
A	酒	大さじ１
A	オイスターソース	小さじ１～２
	塩、こしょう	各少々
	ごま油	大さじ１

作り方

❶二色のピーマンはへたと種をとり、縦に１㎝幅の細切りにする。にんにく、しょうがはみじん切りにする。
❷Ａの調味料はまぜ合わせる。
❸中華なべ（またはフライパン）をよぉく熱してごま油を引き、にんにく、しょうが、牛肉を強めの中火でいためる。
❹肉の色が変わったらピーマンを加えて塩、こしょうを振り、Ａをジャーッと加えて全体をいため合わせる。

ごまごはん
牛肉とピーマンのみそいため
ねきスープ
調理時間20分

味つけに秘訣あり

豚肉のしょうが焼き

KENTARO'S POINT

ごはんのおかず永世ド定番のしょうが焼き。もしかしたら好きなおかず不動の堂々第１位かもしれない。そのぐらい好きだし、よく作る。
もししょうが焼きが嫌い、という人がいたら、たぶん友達にはなれない。だってうちに遊びに来ていたら、おそらくきっと１回はしょうが焼きを食べる羽目になるだろうから。
ポイントは味つけ。最初にたれにつけ込んでおくと、焼くときに焦げやすいし、肉がかたくなることもあるから、調味は最後の最後にすること。
まず肉をそのまま焼いて、合わせだれをジャーッと加えてからめる。簡単そのもの。失敗知らずというわけです。

速攻献立例

えのき汁

材料（２人分）　えのきだけ½袋　ねぎの小口切り少々　だし（削りがつお１つかみ　水３カップ）　みそ大さじ２

作り方　❶なべにだしの水をグラグラ煮立て、削りがつおを入れて弱火で２～３分煮出し、網じゃくしですくって箸でよぉくしぼる。
❷えのきは根元を切り落として３つに切り、①に入れてみそをとき入れ、ねぎを散らす。

のりごはん

材料（２人分）　アツアツのごはん茶わん２杯分　焼きのり½枚

作り方　器にごはんを盛り、のりをちぎってのせる。この上に豚肉のしょうが焼きをのっけてもいい。

材料（２人分）

豚ロース薄切り肉 ……200ｇ

A
- おろししょうが …………………½かけ分
- しょうゆ………大さじ１
- 酒、みりん …各大さじ½
- いり白ごま …………大さじ½～１
- ごま油 …………………少々

ごま油…………………大さじ１

キャベツのせん切り ……適宜

作り方

❶Ａの材料はまぜ合わせる。
❷フライパンを熱してごま油を引き、豚肉を広げて入れ、中火で焼く。いい焼き色がついたらひっくり返して裏面も焼く。
❸焼けたら、①のたれをジャーッと加えてからめる。
❹キャベツのせん切りを添えて器に盛る。
★キャベツのせん切りは、塩、こしょう、ごま油、レモン汁各適宜を加えまぜてもいい。

豚肉は１枚ずつ広げてフライパンに入れ、両面をジュージュー焼いて香ばしい焼き目をつけ、たれをからめる。

えのき汁
豚肉のしょうが焼き
のりごはん
調理時間15分

少ない油でじっくり、からりと揚げる

から揚げ

KENTARO'S POINT

揚げ物の中で、たぶんきっといちばん好きだ。から揚げ。衣さっくりで中ジューシー。ちびっ子のころから大好きだったけれど、大人になった今も、もちろん大好き。
ポイントはじっくり揚げること。鶏肉は一見ものすごく扱いやすそうなやさしい素材に見えるけれど、実は肉の中で最もと言っていいぐらい火の通りが悪いのだ。やさしい外見に惑わされると、外はいい色、中は生、というイタイ目にあう。
だから揚げるのはじっくり。しっかり皮を広げて油に入れたら、徐々に温度を上げて、最後は強火でカラッと仕上げるべし。

衣のつけ方を変えれば

粉のつけ方で全く違う味になる。不思議だ！

立田揚げ

調理時間30分

材料（2人分）
- 鶏もも肉……2枚
- A
  - おろしにんにく……少々
  - おろししょうが……少々
  - しょうゆ……大さじ1.5
  - 酒……小さじ1
  - ごま油……小さじ1
- かたくり粉……適宜
- 揚げ油……適宜

作り方
❶鶏肉の下ごしらえ、下味つけは「から揚げ」の①〜③までと同様にする。
❷鶏肉にかたくり粉を薄くしっかりとまぶす。余分な粉ははたき落とし、皮を広げて形をととのえる。
❸フライパンに揚げ油を2〜3㎝深さに入れて中温に熱し、②をギュッとにぎってから、皮を下にして入れる。フライパンにぎっちり入れたら弱めの中火で揚げる。
❹まわりが固まってきつね色になったら竹ぐしで刺し、澄んだ汁が出たら火を強めてカラッと揚げる。

から揚げ

材料（２人分）

鶏もも肉	２枚
A おろしにんにく	少々
A おろししょうが	少々
A しょうゆ	大さじ1.5
A 酒	小さじ１
A ごま油	小さじ１
かたくり粉	大さじ４
揚げ油	適宜

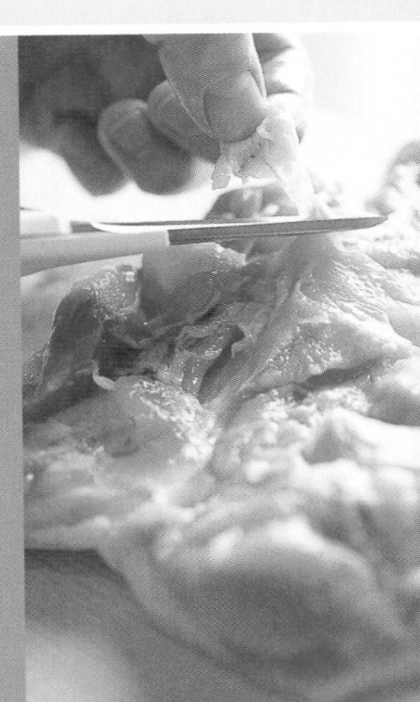

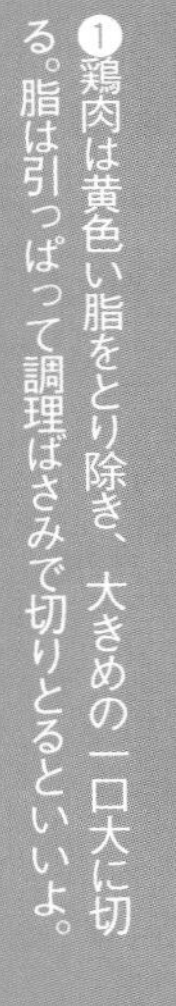

①鶏肉は黄色い脂をとり除き、大きめの一口大に切る。脂は引っぱって調理ばさみで切りとるといいよ。

②鶏肉にAの調味料を加える。ごま油を加えると肉がしっとりとして、いい香りがプラスされる。

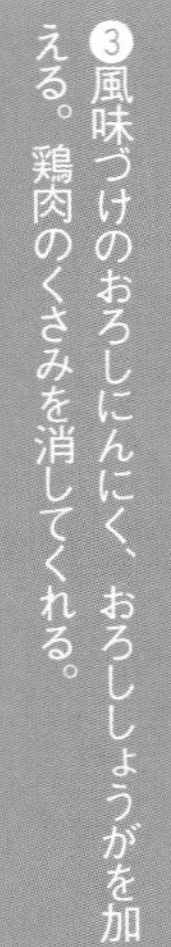

③風味づけのおろしにんにく、おろししょうがを加える。鶏肉のくさみを消してくれる。

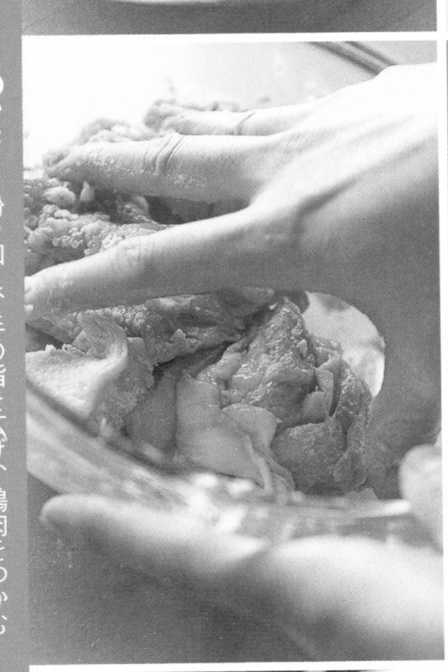

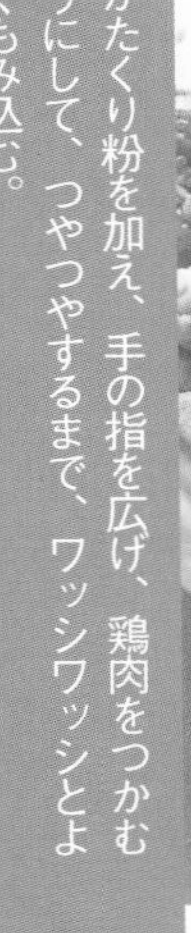

④かたくり粉を加え、手の指を広げ、鶏肉をつかむようにして、つやつやするまで、ワッシワッシとよくもみ込む。

⑤揚げ油は、フライパンに2〜3㎝深さぐらいまで入れ、火にかけて中温に熱する。

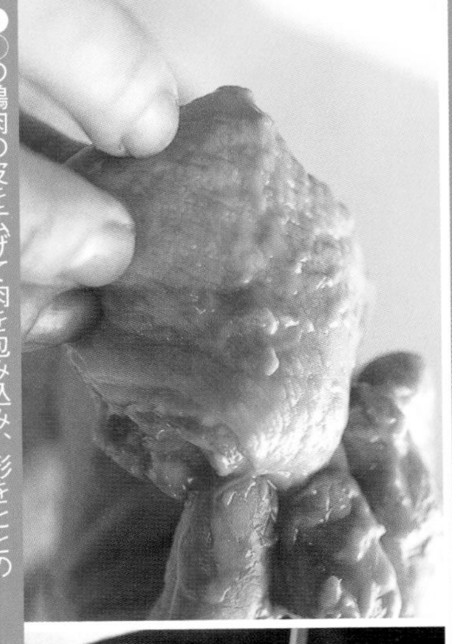

⑥④の鶏肉の皮を広げて肉を包み込み、形をととのえる。皮を下にして⑤の揚げ油に次々入れる。

⑦鶏肉のまわりが固まったら返して全体をからりと揚げる。竹ぐしで刺して澄んだ汁が出ればＯＫ。

調理時間30分

さわらず、いじらず、じっくりがコツ

かき揚げ

KENTARO'S POINT

にんじん、玉ねぎ、さくらえびだけのシンプルなかき揚げ。
たったそれだけの材料なのに、びっくりするぐらいうまいかき揚げ。
車えびとか小柱のたっぷり入った豪華なかき揚げだっておいしいけれど、このシンプルな味だって勝るとも劣らない。
ポイントはやたらにさわらず、じっくり揚げること。
これはまあ多くの揚げ物に言えることだけれど、あんまりいじくりたおすと、特にかき揚げは、バラバラになってしまうから。
箸でしっかりつまめるぐらいになったら初めて返す。
それまではさわらず、いじらず、ひたすら見守るのです。

素材を変えて

調理時間20分

じゃこのうまみが生きた
シンプルな味

ねぎのかき揚げ

材料(2人分)

ねぎ……2本
ちりめんじゃこ……大さじ3
A ┌小麦粉……1カップ
　│塩……1つまみ
　└水……130〜150mℓ
揚げ油……適宜
塩……適宜

作り方

❶ねぎは5㎜厚さの小口切りにする。
❷ボールにAを入れて泡立て器でなめらかにまぜ、粉っぽさがなくなったら①とじゃこを加えてまぜ合わせる。
❸フライパンに揚げ油を2㎝深さぐらい入れて中温に熱し、②を木べらですくって油にすべり入れる。フライパンにぎっしり入れたら弱めの中火で揚げ、衣が固まってきたら裏返してじっくりと揚げる。
❹全体がカリッとしてきつね色になったら、火を強めてカラッと揚げ、器に盛って塩を添える。

材料（２人分）

かき揚げ

にんじん	½本
玉ねぎ	½個
さくらえび	大さじ３
A 小麦粉	１カップ
A 塩	１つまみ
A 水	130〜150mℓ
揚げ油	適宜
塩	適宜

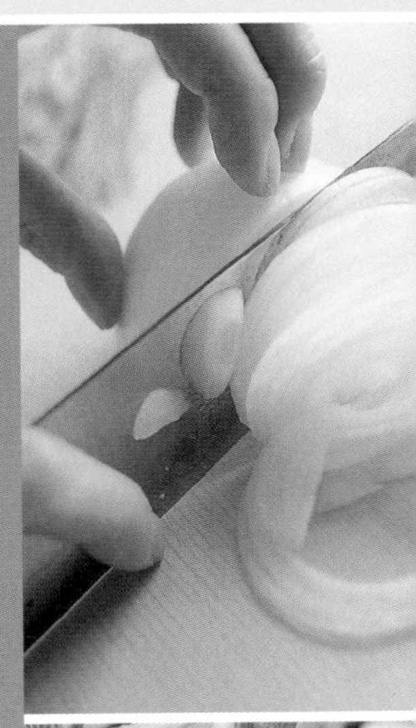

❶玉ねぎは縦薄切り、にんじんは斜め薄切りにしてからせん切りにする。

❷Ａで衣を作る。ボールに小麦粉を入れ、水を加えて泡立て器でよぉくまぜる。塩は最後に。

❸①とさくらえびを②に加え、菜箸でほぐしながらまぜ合わせて、衣をまんべんなくからませる。

❹フライパンに揚げ油を熱し、衣をつけたにんじんを入れてすぐにこまかい泡が立ったら揚げどき。

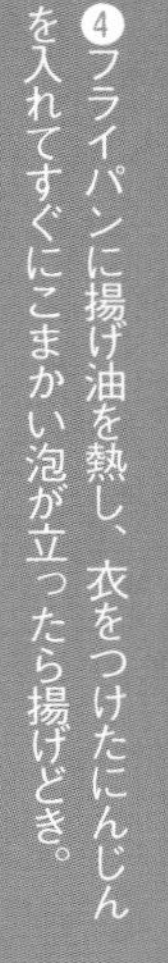

❺木べらで③をすくってのせ、大きさと形をととのえる。ツンツンした野菜を除いたり、大きさも調節。

❻揚げ油の上に移動し、油の中に箸で押し出す。フライパンいっぱいに次々入れて揚げる。

❼まわりがかたい感じになったら返し、カチッと軽い感じになるまで揚げ、最後に強火でからりと揚げる。

調理時間20分

フライパンで焼きからめる

かじきとねぎの照り焼き

KENTARO'S POINT

**かじきはくせがなくて、火の通りがよくて、適度に脂が乗っていて、とてもとても使いやすい魚だ。
だからしょっちゅうお世話になっている。この場を借りてお礼を言いたい。
かじき、どうもありがとう。
ポイント、というほどむずかしいことは実は何もないのだけれど、かじきは焼く前に必ずペーパータオルなどで、水けをよぉくふくこと。
調理する前に、余分な水分やにおいをふきとってしまうというわけだ。特にパックされている魚は、ふくかふかないかで仕上がりが変わってくる。
煮物や焼くだけのときにも忘れずにね。**

材料(２人分)

かじき	２切れ
ねぎ	２本
赤とうがらし	１本
A 酒	大さじ１
A 砂糖	大さじ１
A しょうゆ	大さじ½
ごま油	大さじ１

作り方

❶ねぎは５㎝長さに切る
❷赤とうがらしはへたと種をとり除いて小口切りにし、Aとまぜ合わせる。
❸フライパンをよぉく熱してごま油を引き、水けをふいたかじきを入れ、蓋をして中火で焼き、焼き色がついたら返して裏面も焼く。途中でねぎを加える。
❹かじきに火が通り、ねぎに焼き色がついたら、②を加えてからめる。
❺器にかじきを盛ってねぎをのせ、残っている汁をかける。

速攻献立例

もやしとハムのからしあえ

材料(２人分)　もやし１袋　ハム３枚　A（しょうゆ、サラダ油各小さじ１　砂糖、ねりがらし各小さじ½）
作り方　❶もやしは塩少々（分量外）を加えた熱湯でシャキッとゆで、ざるに上げて冷ます。ハムは７㎜幅に切る。
❷ボールにAの材料をまぜ合わせ、①をあえる。

なすのみそ汁

材料(２人分)　なす２個　だし（削りがつお１つかみ　水３カップ）みそ大さじ２～３　青じそ３～４枚　七味とうがらし適宜
作り方　❶なすはへたと皮を除き、縦６等分に切って塩水（分量外）に５分さらす。青じそはせん切りに。
❷だし（とり方は25ページ参照）を煮立て、水けをきったなすを中火でやわらかく煮、みそをとき入れる。
❸器に盛り、青じそを散らし、七味とうがらしを振る。

なすのみそ汁

もやしとハムの
からしあえ

かじきとねぎの照り焼き

調理時間15分

ふんわりとカッコいい

オムレツ2種

KENTARO'S POINT

オムレツ、というのは、なんだかうれしい存在だ。
スクランブルドエッグでも目玉焼きでもなくてオムレツ。
他の卵料理よりも少ぉしだけ気どった感じが心地いいのかな。オムレツのある朝は、それだけで、かなりタダシク、かなりウツクシイ朝になる。
卵は空気を含ませるようにしっかりときまぜて、フライパンに一気に流し入れる。箸でまぜて広げて、表面が乾かないうちに具をのせる。卵の両端を具にかぶせて一気にひっくり返す。迷わず一気に、ひっくり返す。
もしくずれたら、上からペーパータオルをかぶせて形をととのえればいい。

材料(2人分)

卵	2個
ハム	3枚
ピザ用チーズ	大さじ2〜3
塩、こしょう	各少々
バター	大さじ½

作り方

❶2人分をいっしょに作る。ボールに卵を割りほぐし、塩、こしょうする。
❷ハムは1.5㎝角に切る。
❸フライパンにバターを入れて中火にかけ、バターがジュワーッととけたら①を一気に流し入れる。全体に大きくまぜて広げ、卵の表面が乾かないうちに②とチーズをのせる。
❹卵の両端を具にかぶせるように、パタンパタンと包む。
❺フライパンに一回り大きい皿をぴったりかぶせ、皿をしっかり押さえて一気に「ほっ！」とひっくり返す。形が悪ければ、上からペーパータオルをかぶせ、手で軽く押さえて形をととのえる。好みでこしょうを振る。

バターで焼いて、
中身はハムとピザ用チーズ

洋風オムレツ

調理時間15分

ごま油で焼き、
中身はねぎと明太子

和風オムレツ

調理時間15分

材料（２人分）

卵……………………………２個
ねぎ…………………………１本
からし明太子
……………小½腹（１本）
塩、こしょう…………各少々
しょうゆ………小さじ½～１
酒……………………大さじ½
ごま油………………大さじ１

作り方

❶２人分をいっしょに作る。ボールに卵を割りほぐし、塩、こしょうする。

❷ねぎは斜め切りにする。明太子は皮に切り目を入れてほぐす。

❸フライパンを熱してごま油大さじ½を引き、ねぎを中火でいためる。しんなりしたらしょうゆ、酒を加えて強火でからめ、とり出す。

❹フライパンをさっと洗い、よく熱して残りのごま油を引き、とき卵を一気に流し入れる。全体に大きくまぜて広げ、卵の表面が乾かないうちに、中央に②の明太子と③のねぎをのせる。

❺卵の両端を具にかぶせるように、パタンパタンと包む。

❻「洋風オムレツ」の作り方⑤と同様にして、皿に盛る。

1
卵はよくほぐして味つけし、熱してごま油を引いたフライパンに、一気に流し入れる。

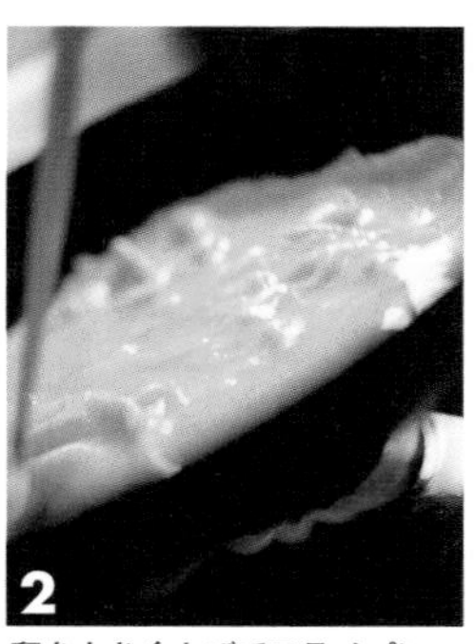
2
卵を大きくまぜてフライパンいっぱいに広げ、中火で焼く。

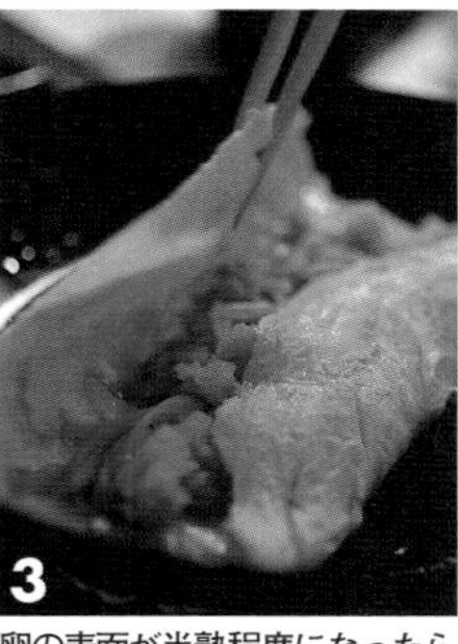
3
卵の表面が半熟程度になったら、手早く具をのせて両端をかぶせ、皿に返す。

オムレツはつきっきりで、一気に作る。気持ち集中！

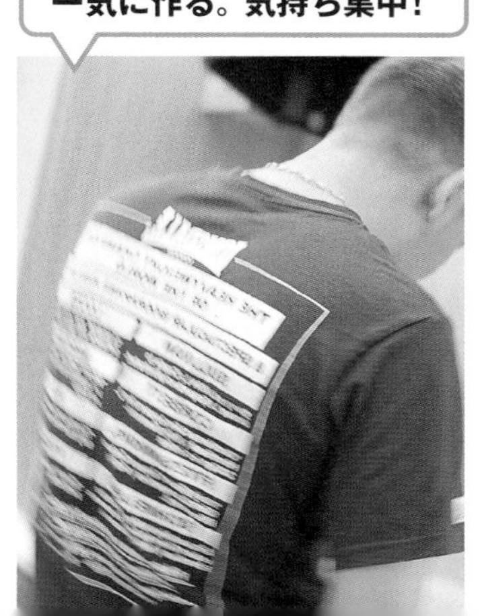

あえ物・マリネ・漬け物

KENTARO'S POINT

あえ物やマリネや漬け物などの小さなおかずは、なにかと便利だ。とにかくまず１種類、自分のモノにしたら、あとは油と調味料を少しずつ変えれば、おんなじ作り方で、味は何とおりにも広がっていく。たとえばごま油とオイスターソースは、オリーブ油と塩とハーブに変えるだけで、中華風からイタリアンになるし、サラダ油とみりんと七味とうがらしは、ごま油と砂糖とコチュジャンにちょいにんにくで、和風から韓国風に早変わり、というぐあいにです。さらに、作ってすぐも、時間がたってからも、どっちも味わえるのも、うれしいところだ。

漬け物特有のうまみと豚肉の油けがいい味出してる

野沢菜漬けと豚肉のあえ物

材料（２人分）

野沢菜漬け……100ｇ
豚バラ薄切り肉……100ｇ
A
- いり白ごま、いり黒ごま……各大さじ１
- しょうゆ……小さじ１
- みりん…小さじ１
- サラダ油……大さじ½

七味とうがらし…適宜

作り方

❶野沢菜漬けは５㎝長さに切り、水けをしぼる。
❷豚肉は一口大に切り、塩少々（分量外）を加えた熱湯でゆで、ざるに上げて湯をきる。
❸ボールにAをまぜ合わせて①、②をあえ、器に盛って七味とうがらしを振る。

調理時間10分

調理時間 5分

シャキッと塩もみして、
みそだれあえでグレードアップ

キャベツの漬け物

材料（2人分）

キャベツ……小1/4個
塩…………小さじ1/2
A
- ごま油……大さじ1
- 水……大さじ1
- 赤みそ……大さじ1/2
- みりん‥小さじ1
- しょうゆ……小さじ1

作り方

❶キャベツは3㎝角ぐらいの大きさに切り、塩を振りまぜて、しんなりするまでおく。

❷ボールにAをまぜ合わせる。

❸①の水けをぎゅっとしぼり、②に加えてあえ、味をなじませる。

おいしいお酒にはおいしいおつまみが欠かせないよね！

調理時間 5分

酢油味をしみ込ませて。
パリパリの食感を楽しもぉ

セロリの中華マリネ

材料（2人分）

セロリ…………1本
A
- ごま油……大さじ1/2
- オイスターソース……大さじ1/2
- 酢……大さじ1/2

作り方

❶セロリは筋をピーラーでむき、5〜6㎝長さに切ってから縦1㎝幅に切る。

❷ボールにAをまぜ合わせて①を入れてからめ、味がなじむまでおく。

バリエーションは無数。心を込めてきゅっとにぎる

ごま塩むすび

KENTARO'S POINT

おにぎりはどんぶりごはんとはまた違う、米の魅力にあふれている。形が少し変わっただけなのに、気分は全然違うし、味ももちろん違う。
ポイントはにぎりかげんかなぁ。強すぎず弱すぎず、キュッキュとリズミカルに力強く、しかしけっして米を押しつぶさずに……って、言うだけなら簡単なんだけど、こればっかりはまず経験でしょうか。
その時々の米のやわらかさや、まぜるものによっても微妙に違う。ただ、にぎりがゆるすぎて食べてるそばからポロポロくずれるようなおにぎりは絶対禁止です。まずはしっかりにぎること。あと、水はあんまりつけすぎないこと。

材料(2人分)

あたたかいごはん…………茶わん2～3杯分
いり黒ごま…………大さじ2
塩……………………1つまみ

作り方

❶ボールにごはんを入れ、ごまを振り込んでしゃもじで切るようにさっくりとまぜる。

調理時間10分

❷手を水で湿らせて①の半分をとり、軽くまとめる。手は写真のとおりの形に。

❸上の手の小指で調子をとりながら、リズミカルにごはんを手の中で回して三角形にまとめる。

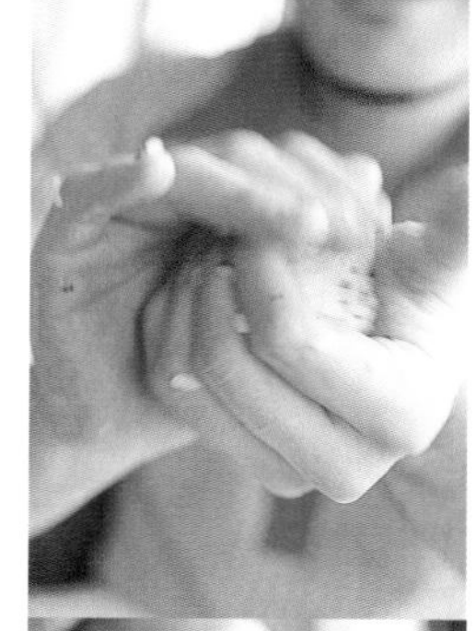

❹形をととのえながら、外側だけをきゅっとにぎる。押しつぶすようににぎってはいけない。

調理時間15分

定番の鮭にたくあんとわさびマヨをプラス

鮭わさびのおにぎり

材料(2人分)

あたたかいごはん
　茶わん2～3杯分
甘塩鮭……1切れ
たくあん……40g
A
　マヨネーズ……大さじ1
　しょうゆ……小さじ1
　ねりわさび……小さじ1
塩……少々
焼きのり(約7×10cm)……4枚

作り方

❶なべに湯を沸かして鮭をゆで、中まで火が通ったら流水でざっと洗って水けをふき、皮と骨をとり除いて身をほぐす。
❷たくあんは5mm角に刻んでボールに入れ、①とAを加えてあえる。
❸手を水で湿らせて塩をつけ、ごはんを2等分してのせ、②を中心にのせて包み込み、おにぎりを作り、焼きのりで巻く。

ベーコンの風味が決め手。彩りがさわやかでしょ!

枝豆とベーコンのおにぎり

材料(2人分)

あたたかいごはん
　茶わん2～3杯分
枝豆(冷凍・さやつき)……50g
ベーコン……3枚
塩……2つまみ
こしょう……適宜

作り方

❶枝豆は袋の表示どおりに解凍してさやから出す。ベーコンは1cm幅に切ってアルミホイルに広げ、オーブントースターでカリッとするまで焼く。
❷ボールにごはんと①を入れ、塩、こしょうを加え、しゃもじでさっくりと切るようにまぜる。
❸手を水で湿らせ、②を等分して2個のおにぎりを作る。

調理時間10分

厚手のなべで炊くごはんもうまい！
２カップぐらいの少量の米なら、
約20分で炊けるよ。

ケンタロウ
知っ得
コラム

1 なべでごはんを炊く

1 米ははかって手早くとぎ、ざるに上げて水けをよくきり、なべに入れる。米の量の20％増しの水を加え、蓋をする。

2 火をつける。火かげんは強火。煮立つまでは蓋にさわってはいけない。

3 蓋の間からブクブクと泡がふいてきたら、あふれないように蓋をちょっとずらす。そして火かげんを中火にする。

4 泡が落ち着いたら蓋を戻し、音がクツクツと小さくなり、ピシッピシッに変わったら火を止め、５分蒸らして炊き上がり。

ケンタロウ
知っ得
コラム

2 だしをとる

削りがつおでとっただしは、
和風料理に欠かせない必須アイテム。
母・カツ代直伝を紹介。

1 なべに水を入れてグラグラと煮立たせ、削りがつおをどっさり入れる（水３カップに対し、削りがつお２つかみが基本）。

2 火かげんを弱火にして煮立ちを静め、２〜３分クツクツとうまみを煮出す。

3 削りがつおを箸でまとめて網じゃくしに上げ、こまかいものはすくいとる。

4 火を止めて、網じゃくしの削りがつおを箸でギュッと押さえてエキスをよぉくしぼる。これでおいしいだしが完成！

味の決め手になる調味料はぜひそろえたい。
特に油脂類は料理によって使い分けるといい。

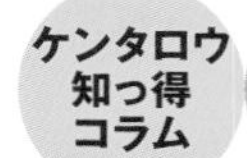

3 特選調味料

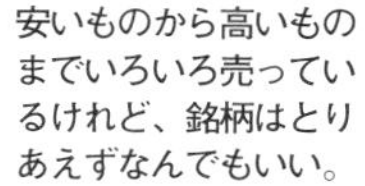

オイスターソース
安いものから高いものまでいろいろ売っているけれど、銘柄はとりあえずなんでもいい。いため物から煮物、あえ物まで、１本持っていると、ぐぐっと本格中華の味つけになる。

オリーブ油
大きく分けてエクストラバージンオイルとピュアオイルの２種類がある。前者は香りがより強くて、値段もやや高い。加熱用はもちろん、生食用も、まずはピュアオイルで充分。

塩／こしょう
塩は自然塩。指でつまみやすいし、甘みもある。こしょうは基本的に黒。ミルでガリガリひいたのが好き。ひいてあるものでももちろんいいけれど、ひきたてはやっぱり香りが違う。

ごま油
とにかくごま油大好き。いためる、焼く、煮る、あえる、かける。ほんとうによく使う。ふだん使っているのは色の濃い普通のタイプ。もっと色の薄い、上品な太白というのもある。

スパイス
あると便利なスパイスは94＆158ページで紹介しているのでそちらを見てください。その中でもカレー粉、赤とうがらし、オレガノ、シナモン、チリパウダーは使用頻度高し。

バター
パンに塗るならカルピスバターが好きだけれど、かなり高級なので、買うときは勇気がいる。加熱その他、ふだん使うのはごく普通のバター。仕上げに加えると風味が立つ。

ケンタロウ絶品!おかず

Part 2

パワフルな肉おかずは、やっぱり食卓に欠かせない。
ごはんもパンももりもり進む肉おかず。
あしたの元気のモトの肉おかず。
きょうの笑顔のための肉おかず。
こってりもあっさりも、どっちもうまい肉おかず。
もちろん簡単、肉おかず。

豚玉いため

材料（２人分）

豚肩ロース薄切り肉……100ｇ
卵……2個
にら……$\frac{1}{2}$束
にんにく、しょうが・各１かけ
オイスターソース…小さじ１
塩、こしょう……各適宜
ごま油……大さじ１

作り方

❶豚肉は一口大に切る。卵は割りほぐす。

❷にらは５㎝長さに切り、にんにく、しょうがはみじん切りにする。

❸フライパンを熱してごま油を引き、にんにく、しょうがを弱火でいため、いい香りがしてきたら豚肉を加えて軽く塩、こしょうし、強火でいため、にらを加えてざっといため合わせる。

❹フライパンの端に③を寄せ、あいたところに卵を流し入れて半熟状にいためる。オイスターソースを加えて全体をまぜ合わせ、塩、こしょうで味をととのえる。器に盛って好みでこしょうを振る。

卵はふんわりやわらかくいため、
火を通しすぎないようにしよう

調理時間15分

豚肉とにらのいため物

材料（2人分）

豚肩ロース薄切り肉	150g
にら	2束
にんにく	1かけ
しょうが	1かけ
豆板醤	小さじ1
塩、こしょう	各適宜
酒	大さじ1
オイスターソース	大さじ½
しょうゆ	少々
ごま油	大さじ1

作り方

❶豚肉は一口大に切る。
❷にらは5㎝長さに切り、にんにく、しょうがはみじん切りにする。
❸フライパンを熱してごま油を引き、にんにく、しょうがと豆板醤を弱火でいためる。香りがしてきたら①を広げながら加え、軽く塩、こしょうを振って強火でいためる。
❹肉の色が変わったらにらを加え、にらに油が回ったら酒を加えていため、アルコール分がとんだらオイスターソースを加え、しょうゆ、塩、こしょうで味をととのえる。

香味野菜と豆板醤は弱火で、肉とにらは強火でいためるのがコツ

調理時間15分

調理時間20分

じっくりいためた玉ねぎの甘みと
バジルの新鮮な香りを添えて

ポークソテー オニオンソース

材料（２人分）

豚肩ロース肉（1cm厚さ）……………２枚
塩、こしょう‥各適宜
オニオンバジルソース
- 玉ねぎ…………１個
- バジルの葉……５枚
- 塩、こしょう……………各適宜
- オリーブ油…………大さじ２

サラダ油……大さじ½

作り方

❶オニオンバジルソースを作る。玉ねぎは縦薄切りにし、バジルは２～３つにちぎる。
❷豚肉は両面に格子状の切り目を入れる。
❸フライパンを熱してオリーブ油を引き、中火で玉ねぎをきつね色になるまでしっかりいためる。いい色になったら塩、こしょうでしっかり味をつけ、バジルを加えてざっとまぜる。
❹別のフライパンをよぉく熱してサラダ油を引き、豚肉を並べ入れる。塩、こしょうして蓋をし、中火で焼く。焼き色がついたら返して蓋をし、裏面にも焼き色をつけ、中まで火を通す。
❺器に肉を盛り、③のソースをアツアツにあたためてかける。

ソースのバリエーション

豚肉と相性のいいレーズンの甘ずっぱさをプラス

ヨーグルト レーズンソース

調理時間15分

材料（２人分）
レーズンのみじん切り……………………大さじ２
プレーンヨーグルト……………………大さじ２
生クリーム、粉チーズ………………各大さじ１
塩…………………２つまみ

作り方

❶材料を全部ボールに入れてまぜ合わせる。
❷とんカツ用の豚肉2枚（片面に格子状の切り目を入れる）を、「ポークソテーオニオンソース」と同様に焼いて器に盛り、①をかけてパセリのみじん切り（ドライ）少々を散らす。

肉

豚ロース肉

分厚い肉は蓋をして蒸し焼きに。
和風ソースでさっぱりどうぞ

調理時間20分

とんテキ玉ねぎソース

材料（2人分）

豚肩ロース肉（ソテー用またはとんカツ用。1.5cm厚さ）……2枚
玉ねぎ……1個
青じそ……5枚
A
- おろし大根……大さじ2
- おろししょうが……少々
- いり白ごま……大さじ2
- しょうゆ……大さじ2
- 酒、みりん……各大さじ1
- 砂糖……大さじ1

塩、こしょう……各少々
サラダ油……大さじ½
ごま油……大さじ1

作り方

❶豚肉は両面に浅く格子状に切り目を入れる。玉ねぎは縦に薄切りにし、青じそはせん切りにする。
❷Aの材料はまぜ合わせる。
❸フライパンをよぉく熱してサラダ油を引き、肉を並べ入れて塩、こしょうを振り、蓋をして中火で焼く。いい焼き色がついたら返して蓋をし、裏面にも焼き色をつけ、中まで火を通して器に盛る。
❹フライパンをさっとふいて熱し、ごま油を引いて玉ねぎを中火でいためる。しんなりとしてきつね色になったら、②を加えていためまぜる。
❺③の肉に④のソースをかけ、青じそをのせる。

豚肉のザーサイねぎいため

材料（2人分）

豚ロース薄切り肉……200g
ザーサイ……ピンポン玉大
ねぎ……2本
にんにく、しょうが……各1かけ
しょうゆ……小さじ1～2
こしょう……適宜
ごま油……大さじ1

作り方

❶豚肉は一口大に切る。ザーサイは塩けが強ければ水につけて塩抜きし、よく洗って薄切りにし、5㎜幅の細切りにする。
❷ねぎは斜め薄切りに、にんにく、しょうがはみじん切りにする。
❸中華なべまたはフライパンをよぉく熱してごま油を引き、②を中火でいためる。
❹ねぎがしんなりしたら肉を加えていため、肉の色が変わったらザーサイを加えていため合わせる。
❺しょうゆ、こしょうで味をつけ、好みでごまを振る。

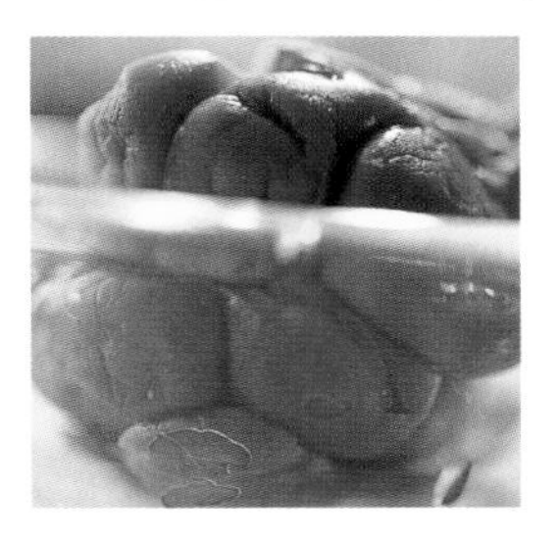

ザーサイは味出しの強い味方。
いつものいため物が本格中華になる

調理時間10分

豚しそチーズフライ

薄切り肉をチーズでボリューム アップ。青じその風味が実に合う

フライが両面ともいい色に揚がったら、最後に火を強め、からりと揚げるのがポイント。

調理時間20分

材料（２人分）

豚ロース薄切り肉 ……………12枚（約200ｇ）
スライスチーズ……………3枚
青じそ……………………6枚
とき卵……………………1個分
小麦粉、パン粉………各適宜
揚げ油……………………適宜

作り方

❶豚肉を１枚広げ、チーズ$\frac{1}{2}$枚、青じそ１枚をのせ、もう１枚の肉ではさむ。これを６組作る。
❷小麦粉、とき卵、パン粉の順に衣をつけ、パン粉をたっぷりつけたら手でギュッと押さえて落ち着かせる。
❸フライパンに揚げ油を１㎝深さぐらいに入れ、中温（パン粉を入れると沈みかけてすぐ上がってくるくらい）に熱し、②をそっと入れる。
❹中火で揚げ、いい色になったら強火にして大きくまぜ、とり出して油をきる。食べやすく切って器に盛り、好みでソースをかけて食べる。

豚ヒレ肉のチリソース

**ピリッとした甘ずっぱいソースを
たっぷりからめた、シンプルな酢豚風**

材料（２人分）

豚ヒレ肉（かたまり、または厚切り）……200ｇ
ねぎ……½本
にんにく、しょうが…各１かけ
A
- 水……½カップ
- 酒、しょうゆ……各大さじ1.5
- トマトケチャップ……大さじ１
- 砂糖……大さじ１
- 豆板醤……小さじ１

小麦粉……適宜
かたくり粉……大さじ½
サラダ油……大さじ３～４
ごま油……大さじ½

作り方

❶豚肉は１㎝角の棒状に切る。
❷ねぎ、にんにく、しょうがはみじん切りにする。
❸Aはまぜ合わせる。
❹フライパンにサラダ油を熱し、①に小麦粉をまぶしてギュッとにぎってから入れ、中火で揚げるようにして焼く。いい色がついたら返して焼き、とり出す。
❺フライパンの油をあけてさっとふき、ごま油を熱して弱火でにんにくとしょうがをいためる。いい香りがしてきたらねぎを加え、強めの中火でいためる。
❻③を加えて④の肉を戻し、フツフツしたら火を止めて、水大さじ１でといたかたくり粉を加えて手早くまぜる。再び火をつけて中火にし、とろみがつくまでいためまぜる。

調理時間20分

豚ヒレ肉のチーズはさみ

イタリアンテイストのオシャレな一皿。ヒレ肉だからしつこさがない

材料（2人分）

豚ヒレ肉（かたまり、または厚切り）……200ｇ
ピザ用ソース……大さじ4
スライスチーズ……3枚
こしょう……少々
オリーブ油……大さじ1

作り方

❶豚肉は5㎜厚さに12枚のそぎ切りにする。
❷肉を1枚ずつ手で軽く押さえて広げ、半量にピザ用ソースを小さじ2ずつ塗り、半分に切ったスライスチーズをのせ、残りの肉ではさむ。
❸フライパンを熱してオリーブ油を引き、②を並べ入れてこしょうを振り、蓋をして中火で焼く。いい色がついたら返して裏面も焼き、中まで火を通す。
❹器に盛り、あれば生野菜などを添える。

調理時間20分

ゆで豚とキャベツのおろしあえ

材料(2人分)

豚ヒレ肉(かたまり)	200g
キャベツ	1/8個
A おろし大根	5cm分
A おろししょうが	1/2かけ分
A しょうゆ	大さじ2
A ごま油	大さじ1/2
一味とうがらし	少々

作り方

❶豚肉は3㎜厚さに切る。
❷キャベツは一口大に切る。
❸なべに湯を沸かして塩少々（分量外）を加え、②をさっとゆでてざるに上げ、湯をきる。
❹なべの湯を再び沸かして①を入れ、箸でほぐし、中まで火が通ったらざるに上げて湯をきる。
❺Aの材料をボールに入れてまぜ合わせ、③と④をあえて器に盛る。一味とうがらしを好みに振る。

歯ざわりのいいさっぱり味だから、
食欲の落ちる夏には最適だね

調理時間15分

調理時間15分

バラ肉はゆでて余分な脂をカット。
元気が出る和風サラダだよ

豚肉とレタスのみそドレッシング

材料（2人分）

	豚バラ薄切り肉	200ｇ
	レタス	½個
A	おろしにんにく	少々
A	おろししょうが	少々
A	みそ	大さじ½
A	酢	大さじ１
A	みりん	大さじ½
A	すり白ごま	大さじ½
A	一味とうがらし	少々
A	ごま油	大さじ½
	塩、こしょう	各適宜

作り方

❶豚肉は一口大に切り、塩少々を加えた熱湯にパラパラとほぐして入れる。中まで火が通ったらざるに上げて湯をきる。

❷レタスは手で一口大にちぎり、水けをきる。

❸ボールにAの材料を入れてまぜ合わせ、①を加えてよくあえる。さらに②を２～３回に分けて加えてそのつどあえ、味をみて塩、こしょうでととのえる。

肉

豚バラ肉

にんじんと薬味野菜をたっぷり
まぜて、食感のよさもイカスよ

調理時間15分

ゆで豚のからしごまソース

材料（２人分）

豚バラ薄切り肉…………200ｇ
にんじん…………………小½本
みょうが……………………１個
青じそ………………………10枚
しょうが…………………½かけ
A
- いり白ごま……大さじ１
- いり黒ごま……大さじ１
- しょうゆ………大さじ１
- みりん…………大さじ１
- ごま油…………大さじ１
- ねりがらし…………小さじ½～１
- 砂糖……………小さじ１

作り方

❶なべに湯を沸かして塩少々（分量外）を加え、豚肉をほぐし入れてゆでる。中まで火が通ったらざるに上げて湯をきる。
❷にんじんは斜め薄切りにしてから縦にせん切りにする。みょうが、青じそ、しょうがはせん切りにする。
❸ボールにAの材料をまぜ合わせて①をあえ、②を２～３回に分けて加えてそのつどあえる。

豚バラのいんげん巻き

**こしょうをきかせて、
ビールのおつまみにもおすすめ**

調理時間15分

材料（２人分）

豚バラ薄切り肉	150ｇ
さやいんげん	１束
塩、こしょう	各適宜
サラダ油	大さじ½

作り方

❶いんげんはへたを切り、塩少々を加えた熱湯でかためにゆで、ざるに上げて湯をきる。

❷豚肉を広げて①を３～４本ずつまとめて端におき、らせん状に巻きつける。

❸フライパンを熱してサラダ油を引き、②を巻き終わりを下にして並べ入れる。塩、こしょうを振り、強めの中火で転がしながら全体をこんがりと焼く。

調理時間10分

豚バラのカリカリ焼き

材料(2人分)

豚バラ薄切り肉…………………150g
バター………大さじ½
塩、こしょう・各適宜
A
- バター・大さじ½
- 砂糖….大さじ½
- しょうゆ………小さじ½

レタス……………適宜

作り方

❶豚肉は長さを4つに切る。
❷フライパンを熱してバターをとかし、①をほぐしながら入れ、軽く塩、こしょうを振る。
❸肉を強火でいため、焼き色がついてカリカリしてきたものからとり出す。
❹フライパンをさっとふき、Aを入れて煮立て、③を戻してからめる。
❺器に盛り、一口大にちぎったレタスを添える。

味つけのバリエーション

サラダ油で焼き、最後にごま油で風味づけ

豚の塩焼き

調理時間10分

材料(4人分)

豚バラ薄切り肉……300g
塩、こしょう……各適宜
サラダ油………小さじ1
ごま油…………………少々

作り方

❶豚肉は食べやすい大きさに切る。
❷フライパンをよぉく熱してサラダ油を引き、①をほぐしながら入れて、強火で焼く。
❸塩、こしょうを振り、両面にいい焼き色がついたら器に盛り、ごま油を回しかける。

鶏肉の香味焼き

作り方

❶鶏肉は黄色い脂をとり除き、肉に格子状に切り目を入れ、皮は包丁の先でブスブスと刺して穴をあけて、両面に粉ざんしょう、塩、こしょうをすり込む。

❷フライパンをよぉく熱してサラダ油を引き、①を皮を下にして入れ、蓋をして中火で焼く。こんがりと焼き色がついたら返し、蓋をして弱火でじっくりと焼き、中まで火を通す。

❸Aの青じそをみじん切りにしてほかの調味料とまぜ合わせる。

❹②を食べやすく切って皿に盛り、③をかけてごま、一味とうがらし、こしょうを振る。小えびとブロッコリーとカリフラワーのサラダ(作り方139ページ参照) などを添える。

材料(2人分)

- 鶏もも肉‥2枚(350～400ｇ)
- 粉ざんしょう……………少々
- 塩、こしょう…………各少々
- A
  - 青じそ………………5枚
  - みりん…………大さじ1
  - しょうゆ……大さじ1弱
  - ごま油…………大さじ1
- いり白ごま、一味とうがらし、こしょう……………各少々
- サラダ油……………大さじ1

皮から焼くのがポイント。パリパリッと香ばしく焼くのが決め手

調理時間20分

チキンソテー トマトソース

ソースにひと手間かけ、盛りつけの演出をし、ごちそう感を出す

調理時間20分

材料（2人分）

鶏もも肉
・2枚（350〜400ｇ）
塩……………2つまみ
こしょう…………少々
トマトソース
┌ホールトマト缶
…大1缶（400ｇ）
にんにく……1かけ
オレガノ（ドライ）
…………小さじ2
塩…………2つまみ
こしょう………適宜
オリーブ油
└…………大さじ2
オリーブ油‥大さじ½

作り方

❶トマトソースを作る。にんにくはみじん切りにし、オリーブ油となべに入れて弱火にかけ、きつね色になるまでゆっくりいためる。
❷トマトを缶汁ごと加えて強火にし、木べらでつぶしながら煮詰め、オレガノ、塩、こしょうで調味する。
❸鶏肉は黄色い脂をとり除き、肉に1㎝間隔の切り目を入れ、皮は包丁の先でブスブスと20カ所ぐらい刺して穴をあけて、両面に塩、こしょうを振る。
❹フライパンをよぉく熱してオリーブ油を引き、③を皮を下にして入れて焼く。こんがりと焼き色がついたら返し、蓋をして中火で焼き、中まで火を通す。
❺器に盛ってトマトソースをかける。

1 鶏肉は皮から焼くのが鉄則。パリッと焼き目をつけることで、鶏肉くささを消し、香ばしい。

2 中までしっかり火を通すために、肉を返したら蓋をしてじっくり蒸し焼きにする。

鶏肉と玉ねぎのピリ辛

強烈なとうがらしの辛みがレモン汁効果で深みのある味になる

材料（２人分）

鶏もも肉 ……… １枚（350ｇ）
玉ねぎ ……………………… ½個
A
- 赤とうがらしのみじん切り …………… ２～３本分
- おろしにんにく…１かけ分
- しょうゆ、レモン汁 ……………各大さじ１
- 砂糖………………大さじ½

塩、こしょう …………各少々
ごま油…………………大さじ½

作り方

❶鶏肉は黄色い脂をとり除き、肉に１㎝間隔の切り目を入れ、皮は包丁の先でブスブスと20カ所ぐらい刺して穴をあける。
❷玉ねぎは薄切りにし、ボールに入れたAとまぜ合わせる。
❸フライパンをよぉく熱してごま油を引き、①を皮を下にして入れ、塩、こしょうを振って強火で焼く。いい焼き色がついたら返し、蓋をして中火で焼き、中まで火を通す。
❹鶏肉を竹ぐしで刺して肉汁が澄んでいたら蓋をとって強火にし、両面を香ばしく焼きつける。
❺アツアツを２㎝厚さに切って②に入れてあえ、味をなじませる。

調理時間25分

鶏肉とねぎのさっぱり煮

材料(2人分)

鶏もも肉…2枚(350〜400g)
ねぎ……2本
しょうが……1かけ
A しょうゆ‥大さじ1〜1.5
みりん、酒…各大さじ1
水……1カップ

作り方

❶鶏肉は黄色い脂をとり除き、肉に1㎝間隔の切り目を入れ、皮は包丁の先でブスブスと20カ所ぐらい刺して穴をあける。
❷ねぎは3〜4㎝長さに切る。しょうがは皮つきのまま2〜3㎜厚さに切る。
❸なべにAを入れて煮立て、鶏肉を皮を下にして入れ、②をまわりに並べ、ときどき鶏肉を返しながら蓋をして弱めの中火で15分ほど煮る。
❹鶏肉をとり出して1〜2㎝厚さに切り、器に盛って煮汁をかけ、ねぎを添える。

ただコトコトと煮るだけ。味がしみた鶏肉とねぎがたまらない！

蓋をして蒸し煮にすると早く火が通り、味がしみ込んで、しっとり煮上がる。

調理時間25分

調理時間30分

ピリッと辛いメキシコ風のトマト煮込み。水煮の大豆が大活躍

チキンと豆のチリ

材料（２人分）

- 鶏もも肉 ………… １枚（150ｇ）
- セロリ ………………………… １本
- にんにく …………………… １かけ
- 大豆の水煮缶 ･１缶（約200ｇ）
- 赤とうがらし ……………… ２本
- チリパウダー…………小さじ１
- ホールトマト缶 …………大１缶（約400ｇ）
- 塩、こしょう …………… 各適宜
- オリーブ油…………… 大さじ１

作り方

❶鶏肉は黄色い脂をとり除いて一口大に切る。

❷セロリは筋をピーラーでむいて斜め薄切りにし、にんにくはみじん切りにする。赤とうがらしはへたと種をとり除く。大豆は缶汁をきる。

❸厚手のなべをよぉく熱してオリーブ油を引き、鶏肉を皮を下にして並べ入れ、強火で焼く。いい焼き色がついたら返して、裏面もこんがりと焼く。

❹鶏肉をなべの片側に寄せて、あいたところでにんにくを中火でいため、いい香りがしてきたら大豆、セロリの順に加えていためる。

❺全体に油が回ったら赤とうがらしとチリパウダーをを加えていため合わせる。トマトを缶汁ごと加え、木べらでトマトをつぶしながら５分ほど煮詰め、塩、こしょうで味をととのえる。

クリームシチュー

材料（2人分）

鶏もも肉	200g
じゃがいも	1個
にんじん	½本
ブロッコリー	小1個
マッシュルームの水煮缶	小1缶
バター	大さじ1
小麦粉	大さじ2
牛乳	2カップ
生クリーム	½カップ
塩、こしょう	各少々

コクがあってなめらかに仕上げる
失敗なしのレシピだよ

作り方

❶鶏肉は黄色い脂をとり除いて、2～3cm角に切る。

❷じゃがいもは3cm角に切って水にさらし、にんじんは小さめの乱切り、ブロッコリーは小房に分けて、それぞれ下ゆでして湯をきる。

❸なべにバターをとかして鶏肉を中火でいため、肉の色が変わったら②を加えていためる。

❹全体に油が回ったら小麦粉を振り込み、火を少し弱めて粉っぽさがなくなるまで、焦がさないようにいためる。

❺火を止めて牛乳を2～3回に分けて加え、そのつどなべ底からよくまぜる。

❻再び火をつけ、小麦粉のダマがなくなったらマッシュルームと生クリームを加えて、弱火でゆっくりかきまぜながら煮詰める。とろみがついたら塩、こしょうで味をととのえる。

調理時間40分

中華サラダ

作り方
❶ささ身は塩少々（分量外）を加えた熱湯でゆで、中まで火が通ったら流水で冷やして、小指くらいの大きさに裂く。
❷ねぎは約４㎝長さのごく細いせん切りにする。サニーレタスは手で食べやすくちぎって、水けをよくとる。
❸ボールにＡを入れてまぜ合わせ、①と②をよくあえる。

チーズ味のフレッシュなソースは、パンや野菜のディップにも最適

調理時間20分

オイスターソースで深みを増し、豆板醤の辛みが味を引き締める

ささ身のソテー アボカドソース

材料（２人分）

鶏ささ身……4本
トマト……½個
Ａ
- 玉ねぎ……¼個
- アボカド……１個
- クリームチーズ・大さじ２
- レモン汁……大さじ１
- 塩……２つまみ
- こしょう……適宜

塩、こしょう……各適宜
バター……大さじ１
サラダ油……小さじ１
オリーブ油……適宜

作り方
❶ささ身は筋をとり除く。
❷トマトはへたをとって５㎜角に切る。Ａの玉ねぎはみじん切りにし、アボカドは皮と種をとる。
❸ボールにアボカドを入れてスプーンでなめらかにつぶし、クリームチーズとまぜ合わせ、玉ねぎとレモン汁を加えて塩、こしょうで味をつける。
❹フライパンを熱してサラダ油とバターを入れ、①を並べ入れて軽く塩、こしょうを振り、弱めの中火で両面を焼く。
❺いい焼き色がついたら器に盛って③をかけ、オリーブ油を回しかけてトマトを散らし、こしょうを振る。

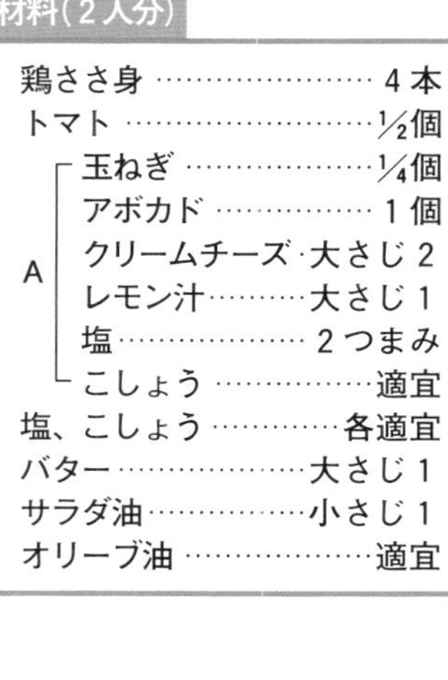

鶏肉にカレー風味は相性抜群。
揚げたてをほおばるのはうまい！

調理時間20分

ささ身のカレーフリッター

材料（２人分）

鶏ささ身	６本
小麦粉	適宜
A 小麦粉	１カップ
A カレー粉	小さじ½〜１
A 塩	２つまみ
A こしょう	少々
A 水	¾カップ
揚げ油	適宜
トマトケチャップ、マヨネーズ	各適宜

作り方

❶ささ身は筋をとり除き、水けをふきとって全体に小麦粉を薄くまぶす。
❷ボールに水以外のAを入れてざっとまぜ、水を加えてなめらかにときのばし、衣を作る。
❸フライパンに揚げ油を２㎝深さほど入れて中温に熱し、①を②にくぐらせてたっぷり衣をつけて入れ、弱めの中火で揚げる。衣が固まってきたら裏返してじっくりと中まで火を通す。衣全体に色がついたら火を強めてカラッと揚げ、とり出す。
❹器に盛り、ケチャップやマヨネーズを好みにつけて食べる。

ささ身の

材料（２人分）

鶏ささ身	２本
ねぎ	１本
サニーレタス	½個
A おろしにんにく	少々
A おろししょうが	少々
A いり白ごま	大さじ２
A ごま油	大さじ１
A 酢、しょうゆ	各大さじ½
A オイスターソース	大さじ½
A 豆板醤	少々
A こしょう	適宜

調理時間15分

スパイシーフライドチキン

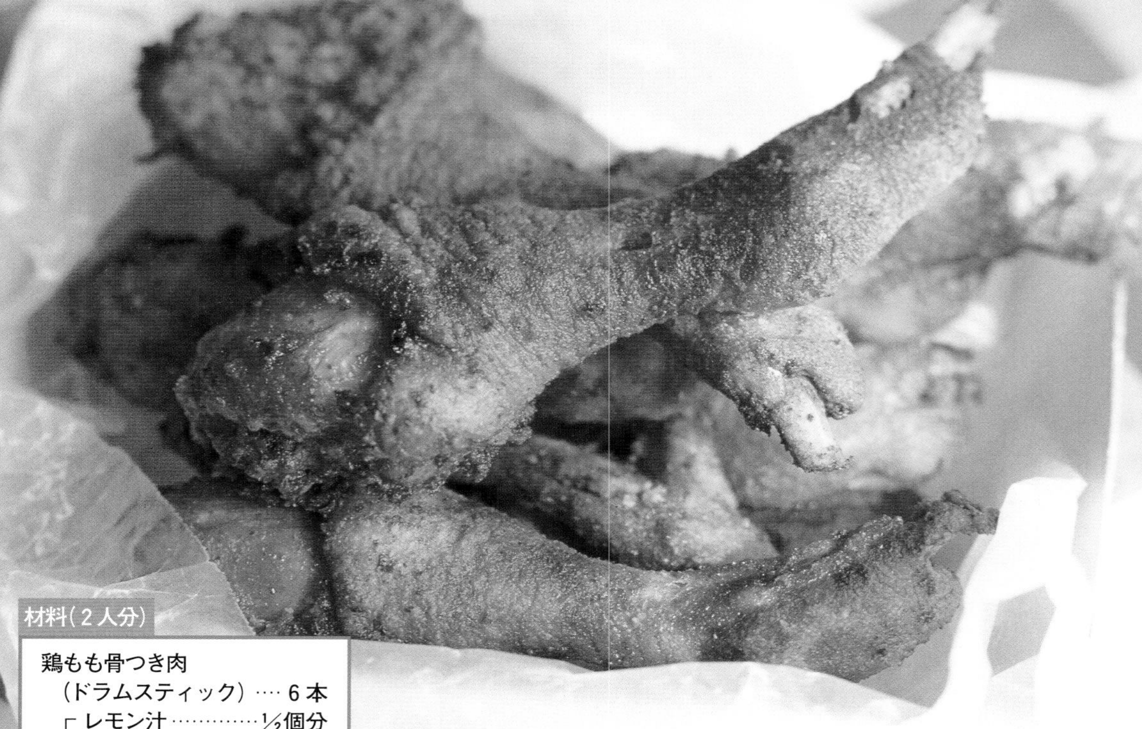

材料（２人分）

鶏もも骨つき肉
（ドラムスティック）…… ６本
A
- レモン汁……………½個分
- おろし玉ねぎ……………大さじ１強
- 塩…………………小さじ１
- パプリカ、セロリパウダー、ガーリックソルト、チリパウダー、こしょう……………………各少々

牛乳……………………………適宜
B
- 小麦粉…………… １カップ
- 塩……………小さじ１弱
- パプリカ、セロリパウダー、ガーリックソルト、チリパウダー、こしょう……………………各少々

揚げ油…………………………適宜

作り方

❶鶏肉をボールに入れてＡの材料を加え、手でよくもみ込む。牛乳をひたひたに注ぎ、ラップをかけて冷蔵庫で30分以上つけ込む。
❷別のボールにＢの材料をまぜ合わせ、①を汁けをペーパータオルでふきとって入れ、全体によくまぶす。
❸フライパンに揚げ油を３㎝深さほど入れて中温に熱し、②を入れて蓋をし、弱めの中火で15分ほどゆっくり揚げる。鶏肉を裏返して蓋をし、さらに15分揚げ、最後に蓋をとって火を強め、カラッと揚げる。

下味にも衣にも数種類のスパイスを加えて、ビールのつまみに最適

調理時間40分

チキンのはちみつ焼き

甘い香りのパリパリと香ばしい皮が、いちばんおいしいところ

材料（2人分）

鶏もも骨つき肉…………2本
A
- はちみつ………大さじ1
- オイスターソース…………大さじ1
- しょうゆ………大さじ½
- サラダ油………小さじ½

ピーナッツ…………適宜

作り方

❶ボールにAの材料をまぜ合わせ、鶏肉を入れてからめ、ときどき返しながら5分ほどおく。
❷オーブンのテンパンに湯を張り、網をのせて網にサラダ油（分量外）を塗り、①を皮を上にして並べる。
❸200〜250度にあたためたオーブンに入れて、20分香ばしく焼く。
❹器に盛り、ピーナッツを刻んで散らし、あれば香草を飾る。

調理時間30分

カレー風味が食欲をそそる。
ディープに煮込まないのがポイント

調理時間35分

骨つきチキンのカレークリームシチュー

材料(2人分)

鶏骨つきもも肉	2本
ピーマン	1個
赤ピーマン	1個
小麦粉	大さじ2
牛乳	2カップ
生クリーム	½カップ
カレー粉	大さじ½
塩、こしょう	各適宜
バター	大さじ2
サラダ油	小さじ1

作り方

❶鶏肉は関節の部分に包丁を入れて2つに切る。ピーマンはへたと種をとり除いて細切りにする。

❷なべを熱してサラダ油とバターをとかし、鶏肉を皮を下にして入れ、塩、こしょうを振って強火で焼く。いい焼き色がついたら返して裏面もこんがりと焼く。

❸小麦粉を振り込んでいため合わせ、粉がなじんだら火を止める。牛乳を3回に分けて加えまぜ、生クリームとカレー粉を加える。再び弱めの中火にかけて、木べらでなべ底からまぜながら10〜15分煮込む。

❹ピーマンを加えて少し煮て、塩、こしょうで味をととのえる。

野菜がたっぷり食べられる、
やさしい味わいのあったかおかず

調理時間25分

骨つき鶏と野菜のポトフ

材料（２人分）

鶏手羽元	６本
キャベツ	¼個
トマト	１個
セロリ	１本
固形スープ	½個
オレガノ（ドライ）	小さじ½
塩、こしょう	各適宜

作り方

❶キャベツは縦に４つに切る。トマトはへたをとって四つ割りにする。セロリはピーラーで筋をむきとり、葉とともに３〜４㎝長さに切る。
❷なべに水５カップを入れて煮立て、手羽元を加えて10分ほど煮る。
❸①と固形スープ、オレガノを加え、野菜がしんなりするまで煮、味をみながら塩、こしょうでととのえる。

友達パーティーや家族のお祝いに
ぴったりのゴージャスレシピ

調理時間15分

牛かたまり焼き

材料（４人分）

牛ロースかたまり肉 ………………500ｇ
塩 …………………少々
こしょう…………適宜
しょうゆ ……大さじ２～３
サラダ油 ….大さじ½

作り方

❶牛肉は両面に１㎝深さの斜め格子状の切り目を１㎝間隔で入れる。
❷フライパンをよぉく熱してサラダ油を引き、①を入れて塩、こしょうし、蓋をして強めの中火で焼く。
❸片面にいい焼き色がついたら返し、火を弱めて裏面も焼く。いい焼き色がついたら器に盛り、しょうゆを回しかける。

1 肉の表面に切り目を入れると火の通りがよく、また繊維を断ち切るのでやわらかくなる。

2 牛肉は前もって下味をつけるのではなく、フライパンに入れてから塩、こしょうを振る。

1枚のステーキ肉で2人分の
おかずが完成。おつまみにも最適

調理時間20分

牛肉とねぎのマリネ

材料（2人分）

牛ステーキ肉…1枚（約200g）
ねぎ…2本
赤とうがらし…2本
A
- おろしにんにく、おろししょうが…各少々
- 酢…大さじ2
- オリーブ油…大さじ1
- しょうゆ…大さじ1
- いり白ごま、いり黒ごま…各大さじ½
- カラーペッパー…小さじ1～2
- 砂糖…小さじ½
- 塩…少々

塩、こしょう…各適宜
オリーブ油…大さじ2

作り方

❶赤とうがらしはへたと種をとり除いてバットに入れ、Aの材料を加えてまぜる。
❷ねぎは5㎝長さに切る。
❸フライパンを熱してオリーブ油大さじ1を引き、ねぎを入れて塩、こしょうを振り、強火でいため、焼き色がついたら①に入れる。
❹フライパンをさっとふいてよぉく熱し、オリーブ油大さじ1を引き、牛肉を入れて塩、こしょうを振り、強火で両面をこんがりと焼きつける。
❺肉をとり出して1.5㎝厚さのそぎ切りにし、③に入れて汁をからめる。

見た目も食べても満足するよね。うまいでしょ！　どぉ。

ビーフピカタ

材料（２人分）

牛ロース肉（５㎜厚さで少し脂のあるもの）……………４枚
卵……………………１～２個
塩、こしょう…………各適宜
小麦粉……………………適宜
A
- 中濃ソース……大さじ４
- 粒マスタード…小さじ２
- カレー粉……………少々

バターまたはオリーブ油……………………大さじ½

作り方

❶牛肉は塩、こしょうして小麦粉をまぶし、余分な粉ははたき落とす。
❷卵はよくときほぐす。
❸フライパンにバターまたはオリーブ油を入れて熱し、①に②をたっぷりとからめて入れ、中火で両面をこんがりと焼き、中まで火を通す。
❹器に盛り、Aをまぜ合わせたソースをかける。

火かげんが強すぎると卵が焦げやすいので、中火でこんがり焼くのがポイント。

卵の衣をつけていため焼き。カレー風味のソースでいっそううまい

調理時間15分

牛肉とアスパラのオイスターソースいため

手軽に作れる本格中華。
ブロッコリーで同様に作ってもいい

材料（2人分）

牛切り落とし肉…………200ｇ
グリーンアスパラガス….1束
にんにく、しょうが…各1かけ
酒……………………大さじ1
しょうゆ……………大さじ½
オイスターソース
……………大さじ½～1
こしょう…………………適宜
ごま油………………大さじ1

作り方

❶アスパラガスは根元を1㎝ほど切り落とし、下から5㎝ぐらいまで皮をピーラーでむく。4～5㎝長さに切り、塩少々（分量外）を加えた熱湯でかためにゆでる。
❷にんにく、しょうがはみじん切りにする。
❸中華なべ（またはフライパン）をよぉく熱してごま油を引き、②を弱火でいため、いい香りがしてきたら強火にして牛肉を加え、ほぐしながらいためる。
❹肉の色が変わったら①を加えていため合わせ、酒、しょうゆを回し入れて全体にからめ、オイスターソースとこしょうを加えてさっといためまぜる。

2
牛肉はよく熱した油で、強火で、一気にいためる。肉がやわらかく、ジューシーな仕上げのコツ。

1
アスパラは前もってさっと下ゆでしておく。色鮮やかになったらざるに上げて湯をきる。

調理時間20分

牛肉と小松菜のガッと煮

材料(2人分)

牛切り落とし肉 ……………………200g
小松菜 ……………1わ
しょうゆ……大さじ1
酒……………大さじ1
みりん………大さじ1

作り方

❶小松菜は根元を切り落として食べやすい大きさにザクザク切り、水けをきる。
❷なべの中を水でさっとぬらして牛肉をほぐし入れ、しょうゆ、酒、みりんを回しかける。
❸肉の上に小松菜をのせ、蓋をして強火で5～6分、小松菜がしんなりするまで煮る。

肉

牛切り落とし肉

終始強火で煮るから、牛肉のうまみと青菜のシャキシャキが生きる

調理時間15分

アツアツのピリ辛いため物が、生の葉っぱでマイルドな味わいに

調理時間15分

牛肉と春菊のあえ物

材料(2人分)

牛切り落とし肉 ……………………150g
春菊 ………………$\frac{1}{2}$束
はるさめ …………30g
にんにく、しょうが ……………各$\frac{1}{2}$かけ
塩、こしょう‥各少々
酒 ……………大さじ1
A
- みりん ………大さじ$\frac{1}{2}$
- オイスターソース ………大さじ$\frac{1}{2}$
- しょうゆ ……小さじ1弱
- 豆板醤 ……小さじ1弱

いり黒ごま‥大さじ1
ごま油………大さじ1

作り方

❶春菊はかたい茎を除き、3～4つに切って水けをきる。にんにく、しょうがはみじん切りにする。
❷はるさめは湯にひたしてもどし、湯をきって食べやすい長さに切る。
❸フライパンを熱してごま油を引き、にんにく、しょうがを弱火でいためる。いい香りがしてきたら牛肉をほぐして加え、塩、こしょうを振って強火でいためる。
❹肉の色が変わったら酒を回し入れてざっとまぜ、A、②の順に加えてよくいため合わせる。
❺ボールに春菊を入れ、アツアツの④とごまを加えてあえる。

牛肉と豆もやしの韓国風スープ

**キムチも入って具がたっぷり。
ごはんを入れれば、クッパに変身**

材料（２人分）

牛切り落とし肉	150ｇ
にんにく	１かけ
しょうが	½かけ
大根	３㎝
豆もやし	½袋
白菜キムチ	150ｇ
しょうゆ	大さじ½
塩、こしょう	各適宜

作り方

❶にんにくは半分に切り、しょうがは３つに切る。大根は５㎜厚さのいちょう切りにする。

❷なべに水３カップを入れ、牛肉をほぐして加え、大根、にんにく、しょうがも入れて強火にかける。煮立ったら、フツフツする程度に火を弱め、アクをとりながら15〜20分煮る。

❸大根に竹ぐしがスッと通ったら、豆もやしとキムチ（大きければ食べやすく切る）を加えてひと煮する。しょうゆ、塩、こしょうで味をととのえる。

調理時間30分

とうふ入りハンバーグ

材料（２人分）

A 合いびき肉	200ｇ
A おろししょうが	少々
A 塩、こしょう	各少々
絹ごしどうふ	１丁
玉ねぎ	½個
青じそ	10枚
ししとうがらし	½パック
塩、こしょう	各少々
B みりん	大さじ２
B しょうゆ	大さじ１
B バター	大さじ１
サラダ油	大さじ1.5
ごま油	大さじ½

作り方

❶とうふは皿などで軽く重しをして15分ぐらいおき、しっかりと水きりする。

❷玉ねぎはみじん切りにし、熱したフライパンにサラダ油大さじ½を引いて中火でいためる。透き通ってしんなりとしたら、皿にとり出して冷ます。

❸青じそはみじん切りにする。ししとうはへたの先を切り落とし、竹ぐしで刺して数カ所穴をあける。

❹ボールにAの材料を入れ、手でワッシワッシとよくまぜ、青じそ、①、②を加えてさらによくまぜる。

❺手にサラダ油少々（分量外）をつけて④を２等分し、１個ずつ左右の手でキャッチボールをして空気を抜き、ハンバーグ形にまとめる。

❻フライパンを熱してごま油を引き、ししとうを入れ、塩、こしょうを振って中火でいため、焼き色がついたらとり出す。

❼フライパンをざっとふいて熱し、サラダ油大さじ１を引き、⑤を並べ入れて強めの中火で焼く。焼き色がついたら返して裏面をこんがりと焼き、水をハンバーグの半分ぐらいの高さまで注ぎ、蓋をして弱めの中火で蒸し焼きにする。

❽水分が少なくなったらハンバーグの中心に竹ぐしを刺し、濁った汁が出てこなければ、蓋をはずして水分をとばすように強火で焼き上げて、とり出す。

❾フライパンにBの材料を入れて中火にかけ、木べらで底の焦げつきをこそげながらまぜ、バターがとけたらハンバーグを戻してからめる。

❿ハンバーグを器に盛ってフライパンのソースをかけ、好みでこしょうを振り、⑥のししとうを添える。しいたけのしぐれ煮やねぎのおかかいため（ともに作り方139ページ参照）などを添えてもいい。

和風テイストのハンバーグ。
バターじょうゆのソースがよく合う

調理時間40分

ミートボールのトマト煮

ひき肉だねにチーズをまぜ込んで、
風味とコクをプラス

材料（２人分）

合いびき肉	150ｇ
玉ねぎ	１個
にんにく	½かけ
赤とうがらし	１本
プロセスチーズ	50ｇ
オレガノ（ドライ）	少々
白ワイン	大さじ１
ホールトマト缶	小１缶（200ｇ）
トマトジュース	１缶（190ｇ）
塩	１つまみ
こしょう	少々
オリーブ油	大さじ２

作り方

❶玉ねぎは、¼個をみじん切りに、残りは縦薄切りにする。にんにくはみじん切り、赤とうがらしはへたと種をとり除く。
❷チーズは７㎜角に切る。
❸ボールにひき肉、塩、こしょうを入れて粘りが出るまで手でよくまぜ、みじん切りの玉ねぎ、②、オレガノを加えまぜて、直径３㎝大のだんごにまとめる。
❹なべを熱してオリーブ油を引き、にんにくを弱火でいため、いい香りがしてきたら赤とうがらしと薄切りの玉ねぎを加えて、中火でいためる。
❺玉ねぎが色づいたら火を強めて白ワインを加え、ざっといためてから、トマトを缶汁ごと、トマトジュース、水¼カップを加える。煮立ったら③を加え、蓋をして中火で15〜20分煮込む。

調理時間35分

ひき肉とプルーンのチーズ春巻き

チーズも入ったスナック感覚の春巻き。ビールのつまみに最高！

材料（２人分）

合いびき肉	100ｇ
プルーン	3個
玉ねぎ	小½個
プロセスチーズ	20ｇ
春巻きの皮	6枚
塩、こしょう	各適宜
酒	大さじ1
ウスターソース	小さじ1
カレー粉	小さじ1弱
しょうゆ	小さじ1弱
小麦粉	少々
バター	大さじ1
サラダ油	大さじ½
揚げ油	適宜

調理時間30分

作り方

❶プルーンは、種があれば除いて、みじん切りにする。玉ねぎは縦薄切りにする。チーズは5㎜角に切る。

❷フライパンを熱してサラダ油とバターを入れ、玉ねぎを弱めの中火でいため、少し色づいてきたらひき肉を加え、塩、こしょう各少々を振り、ほぐしながら強火でいためる。パラパラになったら酒を回し入れてざっといため、ウスターソース、カレー粉、しょうゆを加え、塩、こしょうで味をととのえ、冷ます。

❸すっかり冷めたら、プルーンとチーズを加えまぜて6等分する。

❹春巻きの皮で細長く包み、巻き終わりに水でどろっとといた小麦粉をつけてはり合わせる。

❺フライパンに揚げ油を2㎝深さに入れて弱火にかけ、油がぬるいうちに④を入れ、弱めの中火で、ときどき返しながら揚げる。全体がきつね色になったら火を強めてカラッと揚げる。

ホイル蒸しミニソーセージ

好みのスパイスで風味づけを。
たっぷりめに使って大丈夫だよ

材料(2人分)

合いびき肉……………150g
セロリ……………½本
玉ねぎ……………¼個
おろしにんにく……………少々
スパイス(ナツメグ、チリパウダー、シナモン、パプリカなど)……………各適宜
オリーブ油……大さじ½〜1
塩……………小さじ¼
こしょう……………少々
トマトケチャップ……………適宜

作り方

❶セロリ、玉ねぎはみじん切りにする。
❷ボールにひき肉、おろしにんにく、オリーブ油、スパイス、塩、こしょうを入れ、粘りが出るまで手でよくまぜ、①を加えまぜる。
❸直径3㎝大のだんごにしてから、直径2㎝ぐらいの太さの棒状にし、アルミホイルで1本ずつ包む。
❹湯げの上がった蒸し器に③を並べ、蓋をして10〜12分蒸す。ケチャップを添えて盛る。

調理時間25分

ソーセージとキャベツのにんにくバター

キャベツをいためすぎないのがポイント。アツアツがうまい！

材料（2人分）

ウインナソーセージ……3～4本
キャベツ……1/4個
にんにく……1かけ
バター……大さじ1～2
塩……2つまみ
こしょう……たっぷり

作り方

❶ソーセージは斜め半分に切る。キャベツは3～4㎝角にザクザク切る。にんにくはみじん切りにする。
❷フライパンにバターを入れて火にかけ、ジュワーッととけたらにんにくを入れて弱火でいためる。いい香りがしてきたらソーセージを加えて中火でいためる。
❸キャベツも加え、塩を振っていため合わせる。しんなりとしたらこしょうを振りまぜてすぐに器に盛る。
★写真中の小さなおかず「ツナきゅうりマヨ」は、きゅうりを縦半分にして3㎝長さに切り、ほぐしたツナと、マヨネーズ、ごま油、こしょうであえる。

キャベツはシャキシャキッとした歯ごたえが美味。塩を加えたあとはあまりいためすぎないこと。

調理時間15分

ソーセージと豆の辛いシチュー

材料（２人分）

ウインナソーセージ……大４本
玉ねぎ……………………小½個
にんにく…………………１かけ
大豆の水煮缶
……大１缶（固形量150ｇ）
ホールトマト缶‥１缶（400ｇ）
チリパウダー……７～８振り
塩、こしょう…………各適宜
オリーブ油…………大さじ１

作り方

❶ソーセージは縦に１本深く切り目を入れる。玉ねぎは縦薄切りにし、にんにくはみじん切りにする。
❷なべを熱してオリーブ油を引き、にんにくを弱火でいため、いい香りがしてきたら中火にし、ソーセージを加えていためる。
❸ソーセージに焼き色がついたら、玉ねぎを加えていため、しんなりしたら缶汁をきった大豆を加える。
❹少しいためてからトマトを缶汁ごと加え、木べらでつぶしながらまぜる。少し煮詰めてチリパウダーを振り込み、塩、こしょうで味をととのえる。
★粉チーズを振ってもうまい！

下ごしらえなしのソーセージと
缶詰め素材で作るから簡単

トマトの煮詰めかげんは、木べらでまぜたとき、なべ底が見える程度がころあい。

調理時間20分

いい道具を使うと調理は楽だし、
味も絶対よくなる。
それに見た目のよさが加われば完璧。

ケンタロウ知っ得コラム 4 特選ツール

ステンレスグッズ
フックつきのボールは調理台の壁にぶら下げて、使いたいときにはさっととれる。柄の長い計量カップは、じか火にかけてとかしバターにするときなどに重宝する。皮むきに大活躍のピーラーも、絶対不可欠のツール。

包丁
刃の薄い、牛刀（洋包丁）が好き。鋼よりステンレスのほうが手入れは楽。長さは手の大きさや、力や、好みによるので、買うときはお店で何本か持たせてもらうべし。ちなみにぼくは、とぐのはプロにまかせている。

ほうろうなべ
アルミなべも好きだけど、フランス製のほうろうなべ「ル・クルーゼ」を持っていると重宝。どっしりと重く、安定していて、熱の通りも抜群。シチューや煮物、いため物などに使いがってがいい。洗うのが簡単なのも魅力。

フライパン／中華なべ
個人的には樹脂加工よりも鉄製を使うことが多い。バリッと焼き目がついて気持ちいい。よく熱してから油をなじませておくと、くっつきにくくなる。中華なべは直径30㎝ぐらいが使いやすい。3000円ぐらいかな。

Part 3

魚貝類のおかず

魚が食べたい。
でも魚はめんどくさそうだ。
いやいや、そんなことはありません。
まず基本は切り身で魚料理。
つまり、なんだったら切る必要すらないのです。
肉より簡単かもしれない。
三枚おろしで使うものだって、もし自分でさばけなくたって、
魚屋さんにお願いすればすぐにやってくれる。
だから当然、さばく練習必要なし。
必要なのは笑顔でしょうか。

キムチのすっぱ辛さを生かした
韓国風。フライパンで煮てもOK

調理時間15分

かじきのキムチ煮

材料（2人分）

	かじき	2切れ
	万能ねぎ	1束
	白菜キムチ	150g
A	しょうがのせん切り	½かけ分
A	しょうゆ	大さじ1
A	みりん	大さじ1
A	酒	大さじ1
A	砂糖	大さじ1
A	ごま油	大さじ½
A	コチュジャン	小さじ1
A	水	1カップ
	ごま油	少々

作り方

❶かじきは水けをふきとる。万能ねぎは5㎝長さに切る。キムチは大きければ食べやすく切る。

❷なべにAを入れて火にかけ、煮立ったらかじきとキムチを加え、蓋をしてたまにまぜながら、強火で5分煮る。

❸万能ねぎを加えて再び蓋をし、20秒ほど煮て火を止める。

❹器に盛り、ごま油をたらす。

調理時間30分

かじきとなすを焼いてからさらりと煮込む、元気の出るカレー

かじきとなすのにんにくカレー

材料（2人分）

かじき	2切れ
なす	3個
にんにく	2かけ
カレールー	3～4人分
塩、こしょう	各少々
サラダ油	大さじ3～5
アツアツのごはん	2人分

作り方

❶かじきは水けをふいて3等分に切る。

❷なすはへたをとって1㎝厚さの輪切りにし、塩水（分量外）に5分さらして、水けをしっかりふきとる。にんにくはみじん切りにする。

❸フライパンを熱してサラダ油を引き、なすを3回に分けて強火で揚げ焼きにし、しんなりとしたらいったんとり出す。

❹フライパンににんにくを入れて弱火でいため、いい香りがしてきたら①を入れて塩、こしょうを振り、強火で両面を焼く。

❺水をカレールーの箱の表示どおりに④に加えて煮立て、火を止めてカレールーを割り入れてとかし、③のなすを戻し入れる。再び火にかけ、弱火で、木べらでまぜながらとろみがつくまで煮込む。

❻器にごはんを盛り、⑤をかける。別々に盛り合わせてもいい。

材料MEMO

かじき
加熱すると身が締まって鶏肉に似た味になる。生ぐささやくせがなく、魚の苦手な人にも人気。かじきまぐろと呼ばれることがあるが、まぐろの仲間ではない。

調理時間15分

油焼きにして中華だれをからめるだけ。ねぎをたっぷりのせて

白身魚のチャイニーズ

材料（2人分）

かじき……2切れ
ねぎの白い部分……10cm
A
- おろしにんにく、おろししょうが……各少々
- 酒……大さじ2
- オイスターソース……大さじ1
- ごま油……小さじ1

塩、こしょう……各適宜
サラダ油……大さじ½

作り方

❶ねぎは半分に切って、それぞれ縦に切り込みを入れてしんの部分をとり除き、広げて端から細ぉく切り、水にさらして白髪ねぎにする。
❷ボールにAを入れてまぜ合わせる。
❸フライパンをよぉく熱してサラダ油を引き、水けをふいたかじきを入れ、塩、こしょうを振って蓋をし、中火で焼く。いい焼き色がついたら返し、蓋をして焼く。
❹両面がこんがり焼けたら②を加えて焼きからめる。器に盛ってこしょうを振り、水けをきった①をのせる。

魚貝類

さわら

1つのフライパンでつけ合わせもいっしょに焼く、手間なしがいい

調理時間15分

さわらのソテー 粒マスタードしょうゆソース

材料（2人分）

さわら……2切れ
ピーマン……2個
A
- しょうゆ……大さじ1
- 酒……大さじ1
- みりん……大さじ½
- 砂糖……大さじ½
- 水……大さじ2
- 粒マスタード……小さじ1

サラダ油……大さじ1

作り方

❶ピーマンはへたと種をとり除いて、縦4つに切る。
❷フライパンを熱してサラダ油を引き、水けをふいたさわらを並べ入れて蓋をし、中火で焼く。焼き色がついたら返し、あいているところに①を並べ、再び蓋をして焼く。
❸さわらとピーマンに火が通ったら器に盛る。
❹フライパンをさっとふいてAを入れ、煮立てて③にかける。

火の通し方も味つけも、料理はタイミングよく作ろう。

甘塩鮭がおしゃれな一皿に。
きのこの旬にぜひ作りたい

調理時間20分

鮭きのこソース

材料（２人分）

甘塩鮭	２切れ
しめじ	１パック
まいたけ	１パック
にんにく	１かけ
バター	大さじ１
白ワイン	大さじ１
塩、こしょう	各少々
しょうゆ	大さじ½
サラダ油	大さじ１

作り方

❶しめじは石づきを切り落として小房に分ける。まいたけは食べやすい大きさに裂く。にんにくはみじん切りにする。

❷フライパンを熱してサラダ油を引き、鮭を並べ入れて蓋をし、中火で焼く。焼き色がついたら返してこんがり焼き、器に盛る。

❸フライパンをさっとふいて熱し、バターを入れ、ジュワーッととけたらにんにくを入れて弱火でいためる。いい香りがしてきたらきのこ類を加えて塩、こしょうを振り、強火でいためる。きのこがしんなりとしたら白ワインを加えてさっといため、アルコール分がとんだらしょうゆを加えていため合わせる。

❹②の鮭に③をかける。あればクレソンの葉をちぎって飾る。

鮭のレモンバターじょうゆ

材料（２人分）

生鮭	２切れ
バター	大さじ２
しょうゆ	大さじ１
レモン汁	大さじ２

作り方

❶フライパンにバター大さじ１を入れて火にかけ、ジュワーッととけたら鮭を並べ入れ、蓋をして弱めの中火で焼く。

❷いい焼き色がついたら返して裏面も焼き、バター大さじ１としょうゆ、レモン汁を加えて焼きからめる。

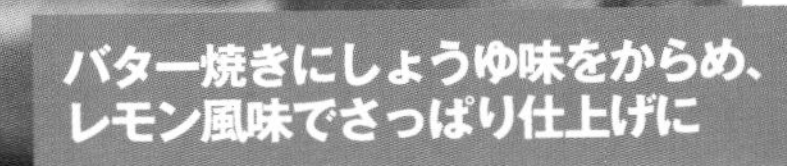
バター焼きにしょうゆ味をからめ、レモン風味でさっぱり仕上げに

調理時間15分

韓国風あえ物

作り方
❶まぐろは水けをふきとって、1.5㎝厚さのぶつ切りにする。
❷春菊はかたい茎を除いて4〜5㎝長さに切る。
❸韓国のりは1㎝角ぐらいにちぎる。
❹ボールにAをまぜ合わせ、①、②、③を加えてあえる。

調理時間10分

調理時間15分

中まで火を通さないのが決め手。
どんぶり仕立てにしてもいいね

まぐろのレアステーキ

材料(2人分)

まぐろ(刺し身用)	小1さく
貝割れ菜	1パック
ピーナッツ	適宜
バター	30g
しょうゆ	大さじ1.5
塩、こしょう	各適宜
サラダ油	大さじ2〜3

作り方
❶まぐろは水けをふきとる。
❷貝割れ菜は根元を切り落とし、ピーナッツは軽く砕く。
❸小なべにバターを入れて火にかけ、ジュワーッととけたらしょうゆを加えまぜて、火を止める。
❹フライパンを熱してサラダ油を引き、①を入れて塩、こしょうを振り、強火で表面に焼き色をつける。
❺まぐろを1.5㎝厚さに切って器に盛り、③のソースをかけて②を散らす。

前菜やおつまみに出せばパーティーが盛り上がること請け合いだよ

調理時間10分

まぐろのカルパッチョ

材料（２人分）

まぐろ（刺し身用）……½さく
バジルの葉…………… ４～５枚
パルメザンチーズ（かたまりで）
……………………………適宜
オリーブ油…… 大さじ１～1.5
塩、こしょう……………各適宜

作り方

❶まぐろは水けをふきとって、２～３㎜厚さのそぎ切りにする。
❷バジルは小さくちぎる。チーズはピーラーで使う分だけ薄く削る。
❸器に①を並べてオリーブ油を回しかけ、塩、こしょうを振りかけて、②を散らす。
★かたまりのパルメザンチーズがなければ粉チーズでもいい。

まぐろの

材料（２人分）

まぐろ（刺し身用）
……………小１さく
春菊………………… １束
韓国のり（３×７㎝大）
…………… 15～20枚
A
おろしにんにく
……………少々
いり白ごま
……… 大さじ２
しょうゆ
……… 大さじ１
ごま油
……… 大さじ１
砂糖 …… 小さじ½

ごま風味のしょうゆだれがしみ込んで、うまみが凝縮！

さんまの揚げづけ

揚げたてをたれにジュッとつけて。
味のしみた玉ねぎもうまい

材料（2人分）

さんま……2尾
A
- 玉ねぎ……小½個
- しょうゆ……大さじ1
- ごま油……大さじ1
- オイスターソース……小さじ1
- みりん……小さじ1

小麦粉……適宜
揚げ油……適宜

作り方

❶さんまは三枚におろし、長さを半分に切る。
❷Aの玉ねぎは縦薄切りにしてボールに入れ、ほかの材料を加えてまぜ合わせる。
❸フライパンに揚げ油を2㎝深さに入れて中温に熱し、①に小麦粉をまぶしてぎっしり入れて中火で揚げる。
❹まわりが固まってきたら返し、油の音が小さくなったら火を強めてカラッと揚げる。
❺揚げたてのアツアツを②につけて味をなじませる。

調理時間20分

おなじみの塩焼きにごま風味のマヨソースをかけて、洋風に変身

調理時間15分

焼きさんまのごまソース

材料（2人分）

さんま……………2尾
塩……………………適宜
A
- マヨネーズ………大さじ2
- ねり白ごま………大さじ1
- 牛乳……大さじ1
- ごま油………大さじ1
- しょうゆ………小さじ2

こしょう…………適宜
パセリ（ドライ）…適宜

作り方

❶さんまは頭を切り落とし、半分に切って軽く塩を振り、グリルで両面をこんがりと焼く。
❷Aはまぜてソースを作る。
❸器に①を盛り、②をかけて、こしょう、パセリを散らす。

材料MEMO

さんま
秋の魚の代表。脂の乗ったうまさは、こんがり焼き目をつけた塩焼きだけでなく、揚げても煮ても変わらない。ピンと張りがあり、色つやのよいものを選ぶ。

生ぐさきは全くなし。梅酒の風味でさんまのおいしさを再発見

調理時間20分

さんまの梅酒煮

材料（2人分）

さんま……………2尾
しょうが………1かけ
A
- 梅酒……$\frac{1}{2}$カップ
- 梅酒の梅………1～2個
- 水………$\frac{1}{4}$カップ
- しょうゆ………大さじ1.5

作り方

❶さんまは頭と内臓をとり除いて4つに切る。しょうがは皮つきのまま薄切りにする。
❷なべの内側を水でさっとぬらしてAとしょうがを入れ、蓋をして強火にかける。
❸煮立ったらさんまを入れ、蓋を少しずらして強めの中火で10～15分煮る。煮ている途中でなべを揺すって焦げつきを防ぎ、煮汁をさんまの上から回しかけて均一に味をつける。

チヂミ

材料（2人分）

	あさり（むき身）	100g
	万能ねぎ	1/2束
A	小麦粉	1/2カップ
A	卵	2個
A	いり白ごま	大さじ1
A	ごま油	少々
A	塩	少々
	サラダ油	適宜

作り方

❶あさりはざっと洗って砂を落とし、水けをきる。万能ねぎは5cm長さに切る。

❷ボールにAの卵を割り入れてほぐし、そのほかの材料を加えて泡立て器でまぜる。粉っぽさがなくなったら①を加えてへらでよくまぜる。

❸フライパンにサラダ油を薄く引き、②を玉じゃくし1/2杯強ずつ円く流し入れ、弱めの中火で焼く。焼き色がついたら返し、フライ返しで軽く押さえながら焼き上げる。

❹器に盛り、好みで酢じょうゆなどを添え、つけて食べる。

韓国風のお好み焼き。
焼きながら食べるのも楽しいよ

調理時間20分

ゆずの香りの甘みそは覚えておくと便利。食べる直前にあえること

調理時間15分

あさりとブロッコリーのぬた

材料（２人分）

あさり（殻つき）……………200ｇ
ブロッコリー……１個
A
- みそ……大さじ１
- みりん‥大さじ１
- 砂糖……小さじ１
- しょうゆ……小さじ½
- ゆずの皮のすりおろし……少々

作り方

❶あさりは水の中で殻と殻をこすり合わせるようにして洗い、水けをきる。
❷ブロッコリーは小房に分ける。
❸なべに湯を沸かして塩少少（分量外）を加え、②をかためにゆでてざるに上げる。つづいてあさりを入れてゆで、口があいたものからとり出す。
❹ボールにＡをまぜ合わせ、湯をきって冷ました③を加えてあえる。

手早く作れる速攻おかず。汁だくのどんぶりにしてもいいね

調理時間10分

あさりとはんぺんの卵とじ

材料（２人分）

あさりの水煮缶………１缶（80ｇ）
はんぺん…………１枚
万能ねぎ…………½束
卵…………………３個
めんつゆ（どんぶり物のつゆの濃さ）……………½カップ

作り方

❶あさりは缶汁をきる。はんぺんは薄切りにする。万能ねぎは５㎝長さに切る。
❷なべにめんつゆを入れて煮立て、①を加えて２～３分煮る。
❸卵をよくときほぐして②に回しかけ、すぐに蓋をして弱火で30秒ほど煮、火を止めてそのまま30秒蒸らす。

えびとセロリのアボカドあえ

材料（2人分）

- 大正えび（またはブラックタイガー）……5尾
- セロリ……1本
- アボカド……1個
- マヨネーズ……大さじ1
- レモン汁……大さじ1
- 塩、こしょう……各適宜

作り方

❶えびは背わたをとり除き、殻つきのまま塩少々を加えた熱湯でゆでる。湯をきって殻をむき、コロコロに3～4等分に切る。

❷セロリは筋をピーラーでむいて、斜め薄切りにする。葉はみじん切りにする。

❸アボカドは種と皮をとって2～3cm角に切る。種は捨てずにとっておく。

❹ボールに①、②、③と種を入れ、マヨネーズとレモン汁を加えて全体をあえ、味をみて塩、こしょうでととのえる。

種をいっしょに入れてあえると、アボカドの色が変わりにくい。

ソースがしみたふっくら衣と、
プリプリのえびの食感がうまい！

調理時間20分

揚げえびのマヨネーズソース

材料（2人分）

大正えび（またはブラックタイガー）……15尾
小麦粉……適宜
衣［小麦粉……1カップ
　　水……1カップ弱
A［ねぎのみじん切り……½本分
　　おろしにんにく、おろししょうが……各少々
　　マヨネーズ…大さじ2〜3
　　粒マスタード……小さじ2
　　砂糖……小さじ2
　　ごま油……小さじ1〜1.5
揚げ油……適宜

作り方

❶えびは尾を残して殻をむき、背に切り目を入れて背わたをとり除く。水けをよくふき、小麦粉をまぶす。
❷ボールに衣の材料を入れてまぜ、①にまぶす。
❸フライパンに揚げ油を中温に熱し、②を1尾ずつ入れて揚げる。
❹ボールにAをまぜ合わせ、油をきった③をあえる。

えびの殻は、足を除き、腹側から親指をさし入れるようにしてはずすとむきやすい。

ピリ辛の濃いめの味つけで、
酒のつまみにもおすすめ

調理時間15分

たことししとうの辛みいため

材料(2人分)

ゆでだこの足……………200ｇ
ししとうがらし………1パック
にんにく…………………1かけ
赤とうがらし…………5～6本
しょうゆ……………大さじ1弱
酒……………………大さじ1
塩、こしょう……………各少々
ごま油…………………大さじ1

作り方

❶たこは一口大のぶつ切りにする。
❷ししとうはへたの先を切り落とし、竹ぐしで刺して2～3カ所穴をあける。にんにくはみじん切りに、赤とうがらしはへたと種をとり除く。
❸中華なべまたはフライパンをよぉく熱してごま油を引き、にんにくを弱火でいためる。いい香りがしてきたら赤とうがらしを加えていためる。
❹強火にして①を加えていため、たこがアツアツになったらししとうを加えてしんなりするまでいためる。しょうゆ、酒を振り入れてからめ、塩、こしょうで味をととのえる。

いため焼きにしたいかを、トマト味でさっと煮たイタリアン

いかのトマトオリーブ焼き

材料（２人分）

いか	１ぱい
にんにく	１かけ
オリーブ(緑)	15〜16個
白ワイン	大さじ１
ホールトマト缶	１缶(400ｇ)
塩、こしょう	各適宜
オリーブ油	大さじ２

作り方

❶いかは胴に指を入れてわたをはずし、足を引き抜く。胴は流水で洗いながら残っているわたと軟骨をかき出し、水けをふきとって１㎝幅の輪切りにする。

❷足はわたを切り離し、目と口をとり除いて流水で洗い、水けをふきとって食べやすい長さに切る。

❸にんにくはみじん切りにする。

❹なべを熱してオリーブ油を引き、③を弱火でいため、いい香りがしてきたら①と②を加えて塩、こしょうを振り、強火でいためる。

❺いかの色が変わったらオリーブを加えていため、オリーブに油が回ったら白ワインを加えてざっといためる。アルコール分がとんだらトマトを缶汁ごと加え、木べらでトマトをつぶしながら、中火で５分煮、塩、こしょうで味をととのえる。

味つけ前に必ず味を確認！
ちょっと塩が足りないカナ？

ぼくのお気に入りのキッチングッズ。
ほかにもあるけど、
毎日使っているものから紹介。

ケンタロウ知っ得コラム

5 特選キッチングッズ

エプロン

仕事着でもあるエプロンは、丈がすごく長いか、すごく短いのが好き。胸まであるやつではなく、腰でバシッと決める。短いやつはほんとはサービス用だけど、ポケットがいっぱいあるし、キッチンでも使いやすい。

キッチンクロス

料理中に洗った器や調理道具をふくなど、フル回転しているキッチンクロスは、たくさんまとめ買いしておく。特にお気に入りはウイリアムズ・ソノマのもの。安い、かわいい、大きい（50×70cm）、丈夫がその理由。

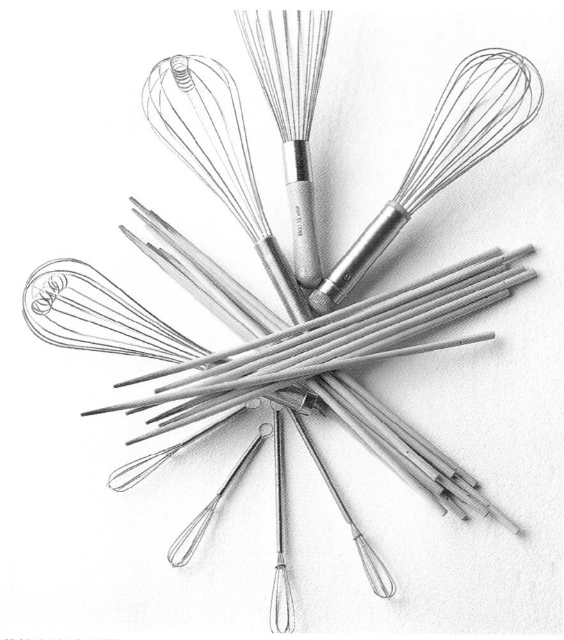

菜箸と泡立て器

菜箸はたくさんあるに限る。調理中に次々とりかえながら使うから、菜箸入れにブアッとあると安心だし、気持ちがいい。泡立て器も大小サイズをたくさんそろえて、用途に合わせて使い分けている。

アンティークのボール

NYのアンティークマーケットで、セットで20ドルで買ったパイレックス社製のボールは自慢の品。重みがあるのでぐらつかないし、調理道具としても使いやすい。色もかわいいから器にもなるすぐれものだ。

ケンタロウ絶品!おかず

Part 4

ふんわりふわふわ卵ととうふ。
やさしい味の卵ととうふだけれど、
やるときにはメインのおかずにだってなってしまうのです。
肉ではちょっと重たいけれど、
全く野菜だけというのもなあ、
というときには、卵ととうふしかない。
ふんわりふわふわ、やさしいけれど、やるときにはやる、
そんなおかずたちです。

にらの卵焼き

ごま油で焼いて香ばしさを引き立てる、ケンタロウ流レシピです

材料（2人分）

卵		3個
にら		1束
A	砂糖	小さじ1
	しょうゆ	小さじ½
	塩	1つまみ
塩		少々
ごま油		大さじ1

作り方

❶卵は割りほぐしてAを加え、よくまぜる。にらは5㎝長さに切る。

❷フライパンを熱してごま油を引き、にらを入れて塩を振り、強火でいためる。

❸にらが少ししんなりしたら卵の半量を流し入れる。卵が固まり始めたら端からパタンパタンと折って、フライパンの片端に寄せる。

❹あいたところに残りの卵を流し入れ、固まり始めたら③を軸にして、パタンパタンと折る。

❺折り返しながら全体を焼きつけ、とり出して食べやすい大きさに切る。

調理時間15分

ゆで卵に甘めのしょうゆ味を
煮からめて。お弁当にもどうぞ

調理時間15分

煮卵のからしマヨネーズ

材料（２人分）

かたゆで卵………４個

A
- 水………½カップ
- しょうゆ………大さじ１
- 酒………大さじ１
- みりん‥大さじ１
- オイスターソース………大さじ½
- 砂糖……小さじ１
- サラダ油………大さじ１

B
- マヨネーズ………大さじ１
- 牛乳……大さじ１
- ねりがらし……小さじ１

作り方

❶なべにAを入れて煮立て、殻をむいたゆで卵を加える。蓋を少しずらしてのせ、ときどき転がしながら強火で10分煮る。

❷Bの材料はまぜ合わせる。

❸器に①を盛って煮汁を注ぎ、②をかける。

材料MEMO

卵

もちろん鶏の卵。サイズは１個につきＳは46～52ｇ、Ｍは53～64ｇ、Ｌは64～70ｇという規定がある。レシピで指定がないのはＭサイズの卵だ。

菜の花だけなく、いんげんや
チンゲンサイなどで作ってもいいよ

調理時間20分

ゆで卵と菜の花の煮物

材料（２人分）

かたゆで卵‥２～３個

菜の花……………１束

A
- 水………¾カップ
- しょうゆ………大さじ１
- みりん‥大さじ１
- 酒………大さじ２
- 砂糖……大さじ½
- 塩 ……小さじ¼

作り方

❶菜の花は茎の根元を切り落とし、長ければ半分に切る。

❷なべにAを煮立て、殻をむいたゆで卵を入れて蓋をし、途中でときどき転がして、強めの中火で７～８分煮る。

❸卵を寄せて菜の花を入れ、途中で返して３分ほど煮、器に盛り合わせる。

調理時間15分

もやしは強火でシャキッと、
卵はふんわりいためるのがポイント

ひき肉ともやしの卵いため

材料（２人分）

卵	3個
合いびき肉	100g
もやし	½袋
にんにく	1かけ
しょうが	1かけ
A いり白ごま	大さじ1
A いり黒ごま	大さじ1
A しょうゆ	大さじ1
A みりん	大さじ1
塩、こしょう	各適宜
青のり粉	適宜
サラダ油	大さじ1

作り方

❶卵は割りほぐす。にんにく、しょうがはみじん切りにする。
❷フライパンを熱してサラダ油を引き、にんにくとしょうがを弱火でいためる。いい香りがしてきたらひき肉を加えて塩、こしょうを振り、ほぐしながら強火でいためる。
❸肉の色が変わったらもやしを加えていため合わせ、もやしがしんなりとしたら片端に寄せて、あいたところに卵を流し入れる。
❹卵の縁が固まってきたら木べらでまぜて半熟のいり卵にし、肉、もやしとともに全体を大きくまぜて、Aを加えていため合わせる。味をみて塩、こしょうでととのえる。
❺器に盛って青のり粉を振る。

とうふでボリュームアップ。水け
をとばしてふんわりいためよう

調理時間20分

えびいり玉どうふ

材料（２人分）

木綿どうふ	１丁
むきえび	100ｇ
ねぎ	½本
にんにく	１かけ
卵	２個
いり白ごま	大さじ½
オイスターソース	小さじ½
しょうゆ	大さじ１
塩、こしょう	各適宜
ごま油	大さじ１

作り方

❶とうふは乾いたふきんやペーパータオルで包んで、軽く水きりする。

❷むきえびはざっと塩水（分量外）で洗い、水けをきる。ねぎは１cm幅の斜め切りにし、にんにくはみじん切りにする。卵は割りほぐす。

❸中華なべ（またはフライパン）を熱してごま油を引き、弱火でにんにくをいためる。いい香りがしてきたらえびとねぎを加え、塩、こしょうを振り、強火でいためる。

❹ねぎがしんなりしたらとき卵を流し入れ、固まってきたら木べらで大きくまぜ、①を加えてくずしながらいため合わせる。

❺とうふがアツアツになったらごま、しょうゆ、オイスターソースを加えていためまぜ、味をみて塩、こしょうでととのえる。

とうふのガーリックステーキ

材料（２人分）

絹ごしどうふ……………… 1丁
ほうれんそう………………適宜
にんにく ………………… 2かけ
かたくり粉…………………適宜
バター …………………大さじ１
しょうゆ……………………適宜
こしょう ……………たっぷり
サラダ油 ………大さじ２〜３

作り方

❶とうふは、乾いたふきんやペーパータオルで包んで、軽く水きりする。
❷ほうれんそうは塩少々（分量外）を加えた熱湯でゆで、水にとって冷まし、水けをかたくしぼる。
❸にんにくは横に薄切りにし、まん中のしんをとり除く。
❹フライパンを熱してサラダ油を引き、弱火でにんにくをこんがりと揚げ焼きにし、とり出す。
❺①にかたくり粉をしっかりまぶしつけ、④のフライパンに入れて中火で焼く。焼き色がついたら返して裏面にも焼き色をつけ、中までアツアツに焼く。
❻器に盛って④を散らし、バターをのせてしょうゆをたらす。②を添えてこしょうを振る。

調理時間20分

カリカリのにんにくで風味アップ。
バターじょうゆがよく合う

とうふのジョン

材料（２人分）

木綿どうふ		１丁
A	白玉粉	大さじ４
	水	大さじ３
B	ねぎのみじん切り	½本分
	おろしにんにく	少々
	しょうゆ	大さじ１
	ごま油	大さじ１
	砂糖	大さじ½
	コチュジャン	小さじ１～２
	水	大さじ２
サラダ油		大さじ２

作り方

❶とうふは乾いたふきんやペーパータオルで包んで、皿などの軽い重しをのせて30分ほどおく。しっかり水きりしたら横1㎝厚さに切る。

❷Aをよくまぜ合わせて、どろりとした衣を作る。

❸フライパンを熱してサラダ油を引き、火を弱め、①を②に通してからめて並べ入れる。蓋をして中火でじっくり焼き、焼き色がついたら返して裏面もこんがりと焼く。

❹器に盛り、まぜ合わせたBをかける。

ピリ辛の韓国風のソースで、
もちっとした口当たりがうまい！

調理時間20分

揚げどうふのごまあんかけ

材料（2人分）

木綿どうふ……………………1丁
かたくり粉……………………適宜
A
- しょうがのせん切り……………………1/2かけ分
- いり白ごま‥大さじ2～3
- しょうゆ…………大さじ1.5
- みりん……………大さじ1
- 砂糖………………大さじ1
- かたくり粉………大さじ1
- 水…………………1カップ

揚げ油……………………………適宜

調理時間20分

作り方

❶とうふは乾いたふきんやペーパータオルで包んで、皿などの軽い重しをのせ、30分ほどおく。しっかり水きりしたら6～8等分に切る。

❷フライパンに揚げ油を3㎝深さぐらいに入れて中火で熱する。ボールにかたくり粉を入れ、①にまぶしながらフライパンに入れて揚げる。とうふのまわりがしっかり固まったら、たまに返し、全体がきつね色になってきたら火を強めてカラッと揚げ、油をきる。

❸なべにAを入れてまぜ、中火にかけて木べらでまぜながら煮詰める。とろみがついたら火を止める。

❹器に②を盛って、③をかける。

ごはんにのっけてグチャッとまぜて食べてもこたえられない

ひき肉やチーズをまぜ込んで、
おつまみ、おかず、なんにでも合う

とうふの揚げだんご

調理時間15分

材料(2人分)

- 木綿どうふ……1丁
- プロセスチーズ‥50g
- A
  - 鶏ひき肉…100g
  - 卵黄……1個分
  - オリーブ油……小さじ1
  - 塩……小さじ½
  - こしょう……適宜
- 揚げ油……適宜
- トマトケチャップ……適宜

作り方

❶とうふは乾いたふきんやペーパータオルで包んで重しをし、しっかり水きりする。チーズは5㎜角に切る。
❷ボールにAを入れてまぜ合わせ、①を加えてさらによくまぜる。
❸フライパンに揚げ油を2㎝深さに入れて中温に熱し、②をスプーンでだんご状にまとめて入れる。中火でときどき返しながらじっくり揚げ、きつね色になってきたら火を強めてカラッと揚げる。
❹器に盛り、ケチャップを添える。

さっぱりしているけど、ピータン
どうふのような深みのある味わい

ゆで卵の中華やっこ

調理時間10分

材料(2人分)

- 絹ごしどうふ……1丁
- ゆで卵……2個
- ねぎ……10㎝
- A
  - オイスターソース……大さじ1
  - ごま油……大さじ½
  - しょうゆ……小さじ1
  - いり白ごま……小さじ1
  - いり黒ごま……小さじ1

作り方

❶とうふは乾いたふきんやペーパータオルで包んで軽く水きりする。
❷ゆで卵は殻をむいて縦6等分のくし形切りにする。
❸ねぎは半分に切って、それぞれ縦に切り目を入れてしんの部分をとり除き、広げて縦に細く切り、水にさらす。
❹器に①と②を盛って、水けをきった③をのせる。食べるときにまぜ合わせたAをかける。

厚揚げの中華肉あんかけ

冷蔵庫に半端に残っている野菜を活用してもいいよ

材料（２人分）

厚揚げ	１枚
合いびき肉	100ｇ
にんじん	½本
にら	¼束
もやし	½袋
にんにく、しょうが	各１かけ
塩、こしょう	各適宜
酒	大さじ１
しょうゆ	小さじ１強
オイスターソース	小さじ１
かたくり粉	大さじ½
ごま油	大さじ１

作り方

❶厚揚げはオーブントースターで両面をこんがり焼く。

❷にんじんは薄い半月切りに、にらは５㎝長さに切る。にんにく、しょうがはみじん切りにする。

❸フライパンを熱してごま油を引き、にんにくとしょうがを弱火でいため、いい香りがしてきたらひき肉を加えて塩、こしょうを振り、ほぐしながら強火でいためる。

❹酒を回しかけてざっといため、にんじん、もやし、にらの順に加えていため合わせ、水１カップ、しょうゆ、オイスターソースを加える。

❺フツフツと煮立ったら火を止め、水大さじ１でといたかたくり粉を回し入れて手早くまぜ、再び火をつけて中火でまぜながらとろみをつける。

❻①を食べやすい大きさに切って器に盛り、⑤をかける。

調理時間20分

厚揚げのきのこあんかけ

材料（２人分）

厚揚げ	１枚
豚肩ロース薄切り肉	200ｇ
生しいたけ	３個
しめじ	１パック
にんにく、しょうが	各１かけ
万能ねぎ	½束
塩、こしょう	各適宜
酒	大さじ１
しょうゆ	大さじ１
かたくり粉	大さじ１
ごま油	大さじ１

調理時間20分

作り方

❶厚揚げはオーブントースターで両面をこんがり焼く。
❷豚肉は一口大に切る。
❸しいたけは石づきを切り落として４つに切る。しめじは石づきを切り落として小房に分ける。にんにく、しょうがはみじん切りに、万能ねぎは５㎝長さに切る。
❹フライパンを熱してごま油を引き、にんにくとしょうがを弱火でいためる。いい香りがしてきたら②を加えて塩、こしょう各少々を振り、強火でいため、肉の色が変わったら③のきのこを加え、いため合わせる。
❺きのこがしんなりとしたら酒を回しかけてざっといため、アルコール分がとんだら水１カップ、しょうゆを加えて煮立て、味をみて塩、こしょうでととのえる。
❻火を止め、水大さじ２でといたかたくり粉を回し入れて手早くまぜ、再び火をつけて中火でまぜながらとろみをつけ、最後に万能ねぎを加えてひと煮する。
❼①を縦半分に切ってから横１㎝厚さに切り、器に盛って⑥をかける。

具だくさんの和風あんをたっぷりかけた、ボリューム満点おかず

材料と手順は、作り始める前にチェックしよう。

ケンタロウ知っ得コラム 6 スパイス（ドライ&パウダー）

あるといいな～と思うスパイスの中から、
保存がきき、いつでも使えるスパイスを紹介。

ナツメグ（パウダー）
ハンバーグ、ミートソースなどのひき肉料理や、カレー味の料理などに使う。甘い刺激性の香りがあるので、ドーナツやクッキーなどのお菓子や飲み物にも使われる。

オレガノ（ドライ）
強い香りと快い苦みがあり、そのほろ苦さは特にトマトと相性がいい。パスタやピザのトマトソースやミートソース、ビーフシチューなどに使う。

パセリ（ドライ）
ドライパセリはみじん切り状態なので、少量使いに便利。やわらかい香りで、料理の彩りに散らしたり、サラダのドレッシングに加えたりなど、幅広く使われている。

シナモン（パウダー）
刺激性のある甘みと香りで、お菓子や甘いパン、ピリ辛料理に合う。特にりんごと相性がいいので、アップルパイや焼きりんごには欠かせない。シナモントーストもうまい。

バジル（ドライ）
生の葉もあるが（158ページ参照）、煮込み物などにはドライが重宝。甘い香りとかすかな刺激があり、トマトの風味とよく合う。イタリア料理には欠かせない。

粒こしょう
香りが高くてピリッとした辛みのある黒こしょうと、やわらかい香りで辛みの弱い白こしょうがある。仕上げにペッパーミルでガリガリひきながら振りかけると、香りが引き立つ。

Part 5

野菜のおかず

**野菜はおいしい。
やさしくて強くて、野菜はおいしい。
だから野菜がたっぷり食べたい。
というわけで、メインもサブも、
とにかくみーんな野菜たっぷりで
お届けしようというわけです。**

ほうれんそうのサラダ

材料（2人分）

サラダ用ほうれんそう …… 1束
ベーコン …… 4枚
A
- おろしにんにく …… 少々
- プレーンヨーグルト …… 大さじ3
- 粉チーズ …… 大さじ1
- オリーブ油 …… 大さじ1
- 水 …… 大さじ1
- 塩 …… 1つまみ
- こしょう …… 少々

コーンチップス …… 適宜

作り方

❶ほうれんそうはよく洗って根元を切り落とし、よぉく水けをきる。
❷ベーコンは1㎝幅に切り、アルミホイルに広げてオーブントースターでカリカリになるまで焼く。
❸ボールにAを入れてよくまぜ合わせ、①、②をあえる。
❹器に盛り、コーンチップスを砕いて散らす。

ヨーグルトとチーズ入りのドレッシングにも注目！

調理時間10分

ほうれんそうの乾物あえ

うまみのある乾物で、いつもの
おひたしがグレードアップ

材料（2人分）

ほうれんそう	1束
焼きのり	½枚
削りがつお	小1袋（5g）
ちりめんじゃこ	大さじ2
いり白ごま	大さじ1
いり黒ごま	大さじ1
オイスターソース	小さじ1
しょうゆ	小さじ1
ごま油	小さじ1

作り方

❶ほうれんそうは塩少々（分量外）を加えた熱湯でゆで、水にとって冷ます。水けをしぼって3㎝長さに切り、さらに水けをしぼる。

❷のりは1㎝角ぐらいの大きさにちぎる。

❸ボールに②を入れ、①、削りがつお、ちりめんじゃこを2〜3回に分け入れてはそのつどよくまぜる。ごまを振り入れてまぜ、オイスターソース、しょうゆ、ごま油を加えてよくまぜ合わせる。

調理時間15分

小松菜のいかあんいため

材料(2人分)

小松菜	1わ
いか	1ぱい
にんにく、しょうが	各1かけ
塩、こしょう	各適宜
酒	大さじ1
しょうゆ	大さじ1弱
かたくり粉	大さじ½
ごま油	大さじ2

作り方

❶小松菜は根元を切り落として2〜3つに切る。

❷いかは胴に指を入れてわたをはずし、足を引き抜く。胴は流水で洗いながら残っているわたと軟骨をかき出し、水けをふきとって1㎝幅の輪切りにする。足はわたを切り離し、目と口をとり除いて流水で洗い、水けをふきとって食べやすい長さに切る。

❸にんにく、しょうがはみじん切りにする。

❹フライパンを熱してごま油大さじ1を引き、①を入れて塩1つまみを振って強火でいため、しんなりしたらとり出す。

❺フライパンをさっとふいて残りのごま油を引き、にんにくとしょうがを弱火でいためる。いい香りがしてきたら②を加えて塩、こしょうを振り、強火でいためる。

❻酒を振ってざっといため合わせ、水½カップ、しょうゆを加える。フツフツと煮立ったら火を止め、水大さじ1でといたかたくり粉を流し入れて手早くまぜ、再び火をつけてまぜながらとろみをつけ、塩、こしょうで味をととのえる。

❼④を器に盛り、⑥をかける。

小松菜といかを別々にいためるのが、それぞれの味を生かすコツ

調理時間25分

シャキッとゆでて、カレー風味のドレッシングでさっぱり食べる

調理時間10分

小松菜とベーコンのサラダ

材料（2人分）

小松菜 ………… 1わ
ベーコン ……… 3枚
A
- 酢 ‥大さじ1～2
- オリーブ油 ……大さじ1
- マヨネーズ ……大さじ½
- 粒マスタード ……小さじ1
- 塩 …… 2つまみ
- カレー粉 ‥‥少々
- こしょう ‥‥適宜

作り方

❶小松菜は根元を切り落とし、塩少々（分量外）を加えた熱湯でゆで、水にとって冷まし、水けをきつくしぼって5㎝長さに切る。
❷ベーコンは1㎝幅に切り、アルミホイルに広げてオーブントースターでカリッと焼く。
❸ボールにAを入れてまぜ合わせ、①、②をあえる。

材料MEMO

小松菜
東京の小松川の特産品であったところからこの名がついた。旬は冬。傷みやすいので、湿らせた新聞紙で包んでポリ袋に入れ、冷蔵庫で保存し、早く使う。

小松菜と豚バラのあえ物

材料（2人分）

小松菜 ………… 1わ
豚バラ薄切り肉 ……………150g
A
- おろししょうが …………少々
- いり黒ごま ……大さじ1
- しょうゆ ‥大さじ1～1.5
- みりん ……大さじ½
- ごま油‥‥大さじ1

作り方

❶小松菜は根元を切り落とす。豚肉は3～4等分に切る。
❷なべに湯を沸かして塩少少（分量外）を加え、小松菜をゆでて、水にとって冷ます。つづいて肉をほぐしながら加えてゆで、火が通ったらざるに上げて湯をきる。
❸小松菜を5㎝長さに切って、水けをしっかりしぼる。
❹ボールにAを入れてまぜ合わせ、肉と③をほぐしながらあえる。

脂けのあるバラ肉でコクもボリュームもたっぷりのごまあえに

調理時間15分

小松菜とえびのクリームシチュー

材料(2人分)

小松菜……1わ
大正えび（またはブラックタイガー）……8尾
にんにく……1かけ
白ワイン……大さじ1
生クリーム……1カップ
牛乳……1カップ
塩、こしょう……各適宜
バター……大さじ1
オリーブ油……少々

作り方

❶小松菜は根元を切り落とし、塩少少を加えた熱湯でゆで、水にとって冷まし、水けをきつくしぼって5㎝長さに切る。
❷えびは殻をむいて背に深い切り目を入れ、背わたをとり除く。
❸にんにくはみじん切りにする。
❹なべを熱してオリーブ油とバターを入れ、バターがジュワーととけたらにんにくを弱火でいためる。いい香りがしてきたらえびを加え、塩、こしょうを振り、強火でいためる。
❺ワインを加えてざっといため、生クリームと牛乳を加えて中火で煮詰める。
❻少しとろみがついたら味をみて塩、こしょうでととのえ、①を加えてひと煮する。

**生クリームをたっぷり加えて
いっそうなめらかな口当たりに**

調理時間30分

小松菜とツナのオムレツ

フライパンが小さければ、
1人分ずつ焼くといいよ

小松菜	½わ
ツナ	大1缶（160g）
卵	3個
ピザ用チーズ	大さじ3～4
塩、こしょう	各適宜
サラダ油	大さじ½

作り方

❶小松菜は根元を切り落とし、塩少少を加えた熱湯でゆでて、水にとって冷ます。水けをきつくしぼってみじん切りにする。

❷ツナは缶汁をきってこまかくほぐす。

❸卵はほぐして塩、こしょう各少々で味つけする。

❹フライパンを熱してサラダ油を引き、③を流し入れ、箸で大きくまぜて広げる。卵の縁が乾いてきたら火を止め、①、②、チーズを散らしてのせ、塩1つまみとこしょうを振る。

❺再び火をつけて、卵が固まってきたらパタンと半分に折る。

調理時間20分

カレー風味で味がキリッと締まる。
パンにも合うあえ物だよ

調理時間10分

菜の花のカレーマヨネーズ

材料（2人分）

菜の花……………………1束
A
- マヨネーズ……大さじ1
- カレー粉………小さじ1
- 牛乳……………小さじ1
- あらびきこしょう…適宜

作り方

❶菜の花は茎の端を少し切り落とし、塩少々（分量外）を加えた熱湯で15秒ほどゆでる。ざるに上げて湯をきり、冷ます。
❷ボールにAを入れてまぜ、①の水けをしぼって加え、あえる。

材料MEMO

菜の花
春を感じる代表的な野菜。買うときは、つぼみがしっかり閉じて、葉のみずみずしいものを選ぶ。歯ざわりを生かすようにさっとゆでるのがポイント。

ごまとにんにくの風味で
菜の花のおひたしをパワーアップ

調理時間10分

菜の花と豚バラ肉のにんにくソース

材料（２人分）

菜の花……………………………１束
豚バラ薄切り肉…………200g
A
- おろしにんにく…………………½かけ分
- いり白ごま……大さじ１
- しょうゆ………大さじ１
- ごま油…………大さじ½

作り方

❶菜の花は茎の端を少し切り落とす。豚肉は一口大に切る。
❷ボールにAを入れてまぜ合わせる。
❸なべにたっぷりの湯を沸かして塩少々（分量外）を加え、菜の花を入れて20秒ほどゆで、ざるに上げて湯をきる。つづいて肉をほぐしながら入れ、火が通ったらざるに上げて湯をきる。
❹菜の花を４㎝長さに切って②のボールに入れ、肉も加えてあえる。

調理時間10分

粒マスタードをきかせたドレッシングで、食べる直前にあえること

クレソンとベーコンのサラダ

材料(２人分)

クレソン		１束
ベーコン		３枚
A	オリーブ油	大さじ１
	酢	大さじ１
	粒マスタード	小さじ１
	塩	２つまみ
	こしょう	少々

作り方

❶クレソンは茎のかたい部分を切り落とし、３cm長さに切る。

❷ベーコンは１cm幅に切ってアルミホイルに広げ、オーブントースターでカリカリになるまで焼く。

❸ボールにAを入れてまぜ合わせ、①と②を加えてあえる。

材料MEMO

クレソン

ピリッとした辛みと香りがあり、サラダ、おひたし、スープなどいろいろな料理に合う。水にさして、毎日水をかえて切り口を少し切ると、１週間ほど保てる。

生のキャベツにアツアツの
ピリ辛ひき肉ソースがさえる！

調理時間20分

キャベツのアジア風サラダ

材料（２人分）

キャベツ		¼個
赤ピーマン		小１個
はるさめ		30g
合いびき肉		150g
にんにく、しょうが		各１かけ
塩、こしょう		各適宜
A	ピーナッツ	大さじ３
	酒	大さじ１
	しょうゆ	大さじ１
	オイスターソース	小さじ１
	豆板醤	小さじ１
ごま油		大さじ２

作り方

❶キャベツは太めのせん切りにし、赤ピーマンはへたと種をとり除いてせん切りにする。はるさめは袋の表示どおりにもどして、食べやすく切る。

❷にんにく、しょうがはみじん切りにする。

❸フライパンを熱してごま油を引き、②を弱火でいためる。いい香りがしてきたらひき肉を加えて塩、こしょうを振り、ほぐしながらいためる。

❹肉の色が完全に変わらないうちにAを次々と加えまぜて、いため合わせる。

❺①を器に盛り、④を熱いうちにかけ、よくまぜ合わせて食べる。

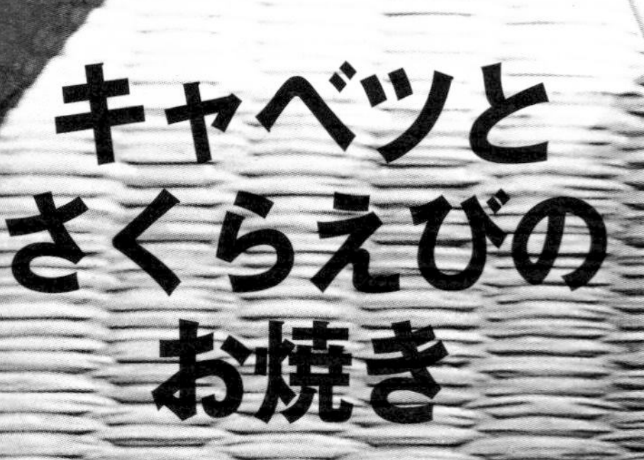

キャベツとさくらえびのお焼き

材料（2人分）

キャベツ	1/8個
にんじん	1/2本
さくらえび	大さじ3
A 卵	2個
A 小麦粉	大さじ4
A しょうゆ	小さじ1/2
A 砂糖、塩	各1つまみ
サラダ油	大さじ1
酢じょうゆ	適宜

調理時間20分

作り方

❶キャベツはせん切りにする。にんじんは斜め薄切りにしてからせん切りにする。
❷ボールにAを入れてまぜ合わせ、粉っぽさがなくなったら、①とさくらえびを加えてまぜる。
❸フライパンを熱してサラダ油大さじ1/2を引き、②の半量をスプーンで食べやすい大きさに円く流し込み、弱めの中火で焼く。焼き色がついたら返して裏面もこんがりと焼く。残りも同様に焼く。
❹器に盛って酢じょうゆを添える。

韓国料理のパジョン風。焼きたてのアツアツを食べよう

キャベツの水ギョーザ

材料（２人分）

キャベツ……………………小¼個
にら…………………………½束
かたくり粉…………大さじ１
豚ひき肉……………………150g
A
- おろしにんにく……少々
- おろししょうが……少々
- しょうゆ………小さじ１
- オイスターソース…………小さじ１
- ごま油…………小さじ½

ギョーザの皮・１袋（25〜30枚）
B
- 酢…………大さじ１〜２
- しょうゆ………大さじ１
- オイスターソース…………大さじ½
- 豆板醤、ラー油…各適宜

作り方

❶キャベツとにらはみじん切りにしてボールに入れ、かたくり粉を加えてまぜる。

❷別のボールにひき肉とＡを入れて手でよぉくまぜ、①を加えてさらによぉくまぜる。

❸ギョーザの皮を手のひらにおき、まん中に②をスプーン１杯分のせる。皮の縁に水をぐるりとつけ、ひだをとりながら包む（パタンと二つ折りにしてもいい）。

❹なべにたっぷりの湯を沸かし、グラグラと煮立ったら③を次々に入れてゆでる。３〜４分して浮き上がってきたら、必ず１個割ってみて火の通りを確認し、ゆで汁ごと器に盛る。

❺Ｂをまぜ合わせて添え、つけて食べる。

野菜たっぷりのヘルシーギョーザ。ピリ辛だれで飽きない味だよ

調理時間30分

キャベツだけをじっくり蒸し煮にして、自然の甘みを味わおう

調理時間15分

キャベツのスープ煮

材料（２人分）

キャベツ	小¼個
固形スープ	½個
バター	大さじ１
塩	１つまみ
あらびきこしょう	少々

作り方

❶キャベツは４等分に切る。
❷なべにキャベツを入れ、水（または湯）１カップ、固形スープ、バター、塩を加えて蓋をし、中火にかけ、キャベツがやわらかくなるまで煮る。
❸器にスープごと盛り、こしょうを振る。

材料MEMO

キャベツ
通年売られているのが「冬キャベツ」で、春から夏に出回るキャベツが「春キャベツ」。甘みのあるみずみずしさ、シャキシャキした歯ざわりのよさがいいね。

ビールに合うし、軽い食事や
友人への差し入れにも喜ばれるよ

調理時間30分

キャベツパイ

材料(2人分)

キャベツ……小1/8個
ねぎ……10cm
ハム……3〜4枚
A 砂糖……1つまみ
A しょうゆ……小さじ1/2
A 塩、こしょう……各少々
冷凍パイシート……2枚(200g)
卵黄……1個分
ごま油……大さじ1/2

作り方

❶キャベツはせん切りにする。ねぎとハムはみじん切りにする。
❷フライパンを熱してごま油を引き、ハムを強火でいため、油が回ったらねぎを加えていためる。キャベツを加えていため合わせ、しんなりしたらAで味つけする。
❸皿などに移して広げ、よく冷ます。
❹パイシートは室温にもどし、めん棒または指先で一回り大きく伸ばし、フォークで全体をブツブツと刺して穴をあける。
❺1枚を4〜6等分に四角く切って③を等分にのせる。
❻パイシートの縁にといた卵黄を塗って三角形にパタンと折り、合わせ目の上をフォークでしっかり押さえて、はり合わせる。
❼テンパンに並べて上面に卵黄を塗り、250度にあたためたオーブンで10分ぐらい焼く。

ブロッコリーとさわらのクリーム煮

材料（２人分）

ブロッコリー……………… １個
さわら…………………… ２切れ
にんにく………………… １かけ
白ワイン……………… 大さじ１
A［生クリーム …… １カップ
　 牛乳……… $\frac{1}{4}$～$\frac{1}{2}$カップ
塩、こしょう ………… 各適宜
オリーブ油 ………… 大さじ１

作り方

❶ブロッコリーは小房に分ける。さわらは半分に切る。にんにくはみじん切りにする。
❷なべに湯を沸かして塩少々を加え、ブロッコリーを15秒ほどゆでてざるに上げ、湯をきる。
❸なべを熱してオリーブ油を引き、さわらを並べ入れて中火で両面をこんがり焼く。
❹焼き色がついたらにんにくを加えて強火でいため、きつね色になったら白ワインを加えてざっとまぜる。
❺Ａを加え、弱火で少しとろみがつくまで煮る。塩、こしょうで味をつけ、②を加えてアツアツになるまで煮る。

ブロッコリーのアリオ・オリオ

材料（2人分）

ブロッコリー	1個
にんにく	1～2かけ
赤とうがらし	小3～4本
塩	2つまみ
こしょう	少々
オリーブ油	大さじ2弱

作り方

❶ブロッコリーは小房に分けて、塩少々（分量外）を加えた熱湯でかためにゆでる。

❷にんにくはみじん切りにし、赤とうがらしはへたを切って種を出す。

❸フライパンにオリーブ油と②、塩を入れて、弱火でいためる。

❹にんにくのいい香りがしてきたら①を加えて強火でいため、アツアツになったら器に盛り、こしょうを振る。

にんにくと赤とうがらし風味の
シンプルないため物だけど、味は完

ブロッコリーは、ゆでるのもいためるのも、歯ごたえよく「サッと」がポイント。

 調理時間15分

彩りのきれいないため物。最後のレモン汁ですっきり味になる

調理時間15分

アスパラガスとえびの塩いため

材料（２人分）

グリーンアスパラガス……1束
大正えび（またはブラックタイガー）……8尾
にんにく、しょうが……各１かけ
塩……１つまみ
こしょう……適宜
レモン汁……少々
ごま油……大さじ１

作り方

❶アスパラガスは根元を１㎝ほど切り落として、斜め薄切りにする。
❷えびは殻をむいて背開きにし、背わたがあればとり除く。
❸にんにく、しょうがはみじん切りにする。
❹中華なべ（またはフライパン）を熱してごま油を引き、③を弱火でいためる。いい香りがしてきたら②を加え、強火でいためる。えびの色が変わったら①を加えていため合わせる。
❺アスパラに油が回ったら塩、こしょうで味をつけ、最後にレモン汁を加えてざっとまぜる。

淡泊な素材の組み合わせなので、
たれはピリ辛でコクのある中華風

調理時間15分

アスパラガスといかのあえ物

材料（２人分）

グリーンアスパラガス ････ １束
ロールいか（冷凍）･･･････100g
A
- ごま油 ･･･････････････ 大さじ½
- オイスターソース ･･･････････････････ 大さじ½
- 豆板醤 ･･･････ 小さじ½〜１
- しょうゆ ････････････････ 少々

作り方

❶アスパラガスは根元を１㎝ほど切り落とし、さらに下から５㎝ぐらいまでの皮をピーラーでむく。
❷いかは表面に斜め格子状に切り目を入れ、５×１㎝角に切る。
❸なべに湯を沸かして塩少々（分量外）を加え、①を10秒ぐらいさっとゆでて、ざるに上げて湯をきる。つづいて②をさっとゆでてざるに上げ、湯をきる。
❹アスパラを４〜５㎝長さに切る。
❺ボールにAを入れてまぜ合わせ、③のいかと④をあえる。

調理時間20分

豚肉と相性抜群のみそ味がらめ。
アスパラ以外の野菜でも同様に

アスパラガスの肉巻き甘辛みそだれ

材料（２人分）

グリーンアスパラガス		１束
豚バラ薄切り肉		200g
A	みそ	大さじ１
	みりん	大さじ１
	酒	大さじ１
	砂糖	小さじ１
塩		少々
サラダ油		大さじ½

作り方

❶アスパラガスは根元を１㎝ほど切り落とし、さらに半分から下の皮をピーラーでむく。

❷まないたに豚肉を１枚ずつ広げ、①を片端に斜めにおいてクルクルと巻きつけ、巻き終わりを手でしっかり押さえる。

❸Ａの調味料はまぜ合わせる。

❹フライパンをよぉく熱してサラダ油を引き、②を巻き終わりを下にして並べ入れ、塩を振って蓋をし、中火で焼く。焼き色がついたら返し、再び蓋をして焼く。

❺全体に焼き色がついたら③を加えて焼きからめる。

アスパラが乾燥しないようにオリーブ油をからめて焼くのがコツ

調理時間15分

アスパラガスのグラタン

材料（２人分）

グリーンアスパラガス …… １束
A
- 白ワイン ……大さじ１～２
- オリーブ油 ………大さじ１
- 塩………………… ２つまみ
- こしょう……………適宜

粉チーズ ………大さじ１～２
パン粉………………大さじ１

作り方

❶アスパラガスは根元を１cmほど切り落とし、さらに下から５cmぐらいまでの皮をピーラーでむく。
❷耐熱容器の内側を水でぬらして①を並べ、Ａを次々に振りかけてからめる。
❸最後に粉チーズとパン粉を散らし、250度にあたためたオーブンで７～８分焼く。

大根と油揚げのシャキシャキサラダ

材料(2人分)

	大根	5cm
	油揚げ	½枚
A	梅干し	2個
A	ごま油	大さじ1
A	しょうゆ	大さじ½
A	砂糖	小さじ1

作り方

❶大根は縦薄切りにして3mm幅の細切りにする。

❷油揚げはオーブントースターで香ばしく焼き、1cm幅に切る。

❸Aの梅干しは種をとり除いて、果肉をこまかく包丁でたたき、調味料をまぜ合わせる。

❹①、②を③であえる。

材料MEMO

大根

スーパーで売られているのは主に青首大根。茎や葉つきを買ったらつけ根から切ってポリ袋に入れ、冷蔵庫保存。葉や茎はみそ汁の実や煮物の彩りなどに。

さっぱりとした歯ざわりが魅力の和風味。こってり主菜にぴったり

調理時間10分

前菜にふさわしい一皿。大根を焼くと味がなじみ、風味も増すよ

調理時間15分

薄切り大根のツナディップ

材料(2人分)

	大根	5cm
	ツナ	小1缶(60g)
	万能ねぎ	適宜
A	おろしにんにく	少々
A	マヨネーズ	大さじ1
A	こしょう	適宜
	こしょう	適宜
	オリーブ油	大さじ1

作り方

❶大根は2～3mm厚さに、偶数分の輪切りにする。ツナは缶汁をきってほぐす。万能ねぎは5cm長さに切る。

❷フライパンを熱してオリーブ油を引き、大根を並べ入れて強火で焼き、焼き色がついたら返して裏面も焼く。

❸ボールにツナとAを入れてまぜ合わせる。

❹②の半量に③をのせ、万能ねぎを2～3本ずつあしらって、残りの大根を重ねる。

❺器に盛り、こしょうを振って好みでオリーブ油（分量外）をかける。

大根と鶏肉のスープ

材料（２人分）

大根	6㎝
鶏手羽元	4本
にんにく、しょうが	各1かけ
ねぎの青い部分	1本分
万能ねぎ	適宜
しょうゆ、みりん	各大さじ1
塩、こしょう	各適宜
一味とうがらし	適宜

作り方

❶大根は2㎝厚さのいちょう切りにする。にんにくとしょうがは半分に切る。

❷なべに水3～4カップを入れ、①、鶏肉、ねぎ、しょうゆ、みりんを加えて火にかける。煮立ったらフツフツするぐらいに火を弱め、アクをとりながら20～30分煮込む。

❸大根に竹ぐしを刺してスッと通ったら、味をみて塩、こしょうでととのえる。

❹器に盛り、小口切りの万能ねぎを散らし、一味とうがらしを振る。

骨つきの鶏肉から出るうまみを
じっくり煮含めた大根がうまい！

調理時間35分

切り干し大根のサラダ

マヨベースの和風ドレッシングで、なんともうまい

材料（２人分）

切り干し大根……………30g
ツナ…………………１缶（80g）
A
- おろししょうが……少々
- レモン汁…大さじ１〜２
- マヨネーズ……大さじ１
- ごま油…………大さじ½
- しょうゆ…小さじ½〜１
- 砂糖………………１つまみ

塩、こしょう…………各適宜
万能ねぎの小口切り、すり黒ごま…………………各適宜

作り方

❶切り干し大根は流水で洗ってからたっぷりの水につけてもどし、水けをしっかりしぼる。
❷ツナは缶汁をきってほぐす。
❸ボールにAを入れてまぜ合わせ、①を加えてあえ、塩、こしょうで味をととのえる。
❹器に盛って②をのせ、万能ねぎとごまを散らす。

調理時間10分

野菜

セロリ・さやいんげん

レモンの酸味をきかせたまろやかなマヨドレッシングが味の決め手

調理時間10分

セロリのかにサラダ

材料(2人分)

セロリ …………1本
かに缶 …小1缶(50〜60g)
A
- レモン汁 …大さじ1〜2
- マヨネーズ ……大さじ1
- 牛乳 ….大さじ½
- おろししょうが …………少々
- オリーブ油 .少々
- 塩、こしょう 各少々

パセリ(ドライ) …適宜

作り方

❶セロリは筋をピーラーでむき、5㎝長さに切ってせん切りにする。葉少々はみじん切りにする。
❷かには缶汁をきり、ほぐして軟骨をとり除く。
❸ボールにAを入れてまぜ合わせ、①、②をあえる。
❹器に盛り、パセリを散らす。

材料MEMO

セロリ
1本買いをするときは、茎の切り口を見て、ぽつぽつとした穴のあいていないものを選ぶこと。保存は葉を切り離し、ラップできっちり包んで冷蔵庫へ。

いんげんの辛みそあえ

材料(2人分)

さやいんげん ….1袋
A
- 赤みそ…小さじ1
- みりん…小さじ1
- 豆板醤 ………小さじ½
- サラダ油 ………小さじ1

一味とうがらし….適宜

作り方

❶いんげんはへたをとり除き、塩少々(分量外)を加えた熱湯でかためにゆで、水にとる。水けをきって2〜3等分に切る。
❷ボールにAのみそを入れ、みりんでときのばしてからほかの材料を加えまぜる。
❸①を②であえて器に盛り、一味とうがらしを振る。

材料MEMO

さやいんげん
いんげん豆の若いさやだけど、豆をとる品種とは別の品種。三度豆とも呼ばれる。緑色が濃く、しっとりとしていて、さやに黒いしみなどのないものを選ぼう。

シャキッとゆでたいんげんに、とろみのあるみそだれがよくなじむ

調理時間10分

揚げかぼちゃのサラダ

材料（２人分）

かぼちゃ ………… 1/4個
ハム ………………… ２枚
A
- おろしにんにく …………… 少々
- オリーブ油 ……… 大さじ１
- 酢 ……… 大さじ１
- パセリ（ドライ） ……… 小さじ１
- 塩 …… ２つまみ
- こしょう …… 適宜

揚げ油 …………… 適宜

作り方

❶かぼちゃは種とわたをとり除き、皮をそぐようにむいて３cm角に切る。
❷フライパンに揚げ油を２cm深さほど入れて①を入れ、中火にかける。ときどき返しながらじっくりと揚げ、竹ぐしがスッと通ったら油をよくきる。
❸ハムを１cm幅の細切りにし、ボールに入れてAとまぜ、揚げたかぼちゃを加えてまぜる。

調理時間20分

ハムも加えて、ボリュームのある一品ができ上がり！

野菜

かぼちゃ

けっこう焦げやすいので火かげんに気をつけて！

調理時間15分

かぼちゃのステーキ

材料（２人分）

かぼちゃ ……… 小1/4個
塩、こしょう … 各適宜
オリーブ油 ……… 大さじ１～２

作り方

❶かぼちゃは種とわたをとり除き、１cm厚さのくし形に切る。
❷フライパンを熱してオリーブ油を引き、かぼちゃを並べて塩、こしょうを振る。蓋をして弱めの中火で焼く。焼き色がついたら裏返して、再び蓋をして焼く。
❸竹ぐしを刺してスッと通ったら、器に盛ってこしょうを振る。

材料MEMO

かぼちゃ

カットされたかぼちゃは、切り口がみずみずしくて黄色が濃く、肉厚で、種がびっしりついているものを選ぼう。わたと種を除いて保存すると長もちする。

かぼちゃと豚肉のカレーいため

材料（２人分）

かぼちゃ	小¼個
豚肩ロース薄切り肉	150g
にら	１束
にんにく、しょうが	各１かけ
塩、こしょう	各適宜
酒	大さじ１
A　みりん	大さじ１
A　しょうゆ	大さじ１弱
A　カレー粉	大さじ½
ごま油	大さじ１

作り方

❶かぼちゃは種とわたをとり除き、横半分に切ってから５㎜厚さの薄切りにする。にらは５㎝長さに切り、にんにくとしょうがはみじん切りにする。

❷豚肉は一口大に切る。

❸フライパンを熱してごま油を引き、かぼちゃを入れて塩、こしょうを振り、中火で両面を焼く。竹ぐしを刺してスッと通ったらとり出す。

❹フライパンににんにく、しょうがを入れて弱火でいため、いい香りがしてきたら肉を加えて塩、こしょうを振り、強火でいためる。肉の色が変わったら、にらと③のかぼちゃを加えていため合わせる。

❺にらに油が回ったら酒を加えてざっといため、Aを加えていためまぜる。

カレー味のいため物は男性陣にも人気。ビールのおつまみにも最適

調理時間20分

じゃがいものシャキシャキいため

材料(2人分)

じゃがいも……………………2個
豚肩ロース薄切り肉……150g
にんにく、しょうが……各1かけ
いり白ごま、いり黒ごま
……………………各大さじ1
塩、こしょう…………各適宜
A ┌酢…………………大さじ1
 │しょうゆ………大さじ1
 └みりん…………大さじ1
ごま油…………………大さじ2

作り方

❶じゃがいもは3㎜厚さの薄切りにしてから細切りにする。水にさらして水けをきる。
❷豚肉は一口大に切る。にんにく、しょうがはみじん切りにする。
❸フライパンを熱してごま油を引き、にんにくとしょうがを弱火でいため、いい香りがしてきたら肉を加えてざっといためる。①を加えて塩、こしょうし、強めの中火でいため合わせる。
❹Aを次々と回しかけていためまぜ、ごまを振り込んでざっとまぜる。味をみて塩、こしょうでととのえる。

じゃがいもが太すぎると、
火の通りが悪いから気をつけよう

調理時間20分

新じゃがと鶏肉の煮物

材料(２人分)

新じゃがいも		8〜10個
鶏もも肉		１枚(250〜300g)
A	水	１カップ
	しょうゆ	大さじ２
	砂糖	大さじ½
	みりん	大さじ１
	サラダ油	小さじ１

作り方

❶新じゃがは皮つきのままよぉく洗い、水けをふきとって、半分に切る。

❷鶏肉は黄色い脂を除いて、一口大に切る。

❸なべにＡと①、②を入れ、蓋をして強火にかける。煮立ったら途中で何回か上下を返すようにまぜて、じゃがいもがやわらかくなるまで８〜10分煮る。

甘じょっぱいこってり味が、おかずにもお酒のつまみにもよく合う

調理時間15分

新じゃが

作り方

❶新じゃがは皮つきのままよぉく洗い、水けをふきとって半分に切る。

❷フライパンに揚げ油を2cm深さぐらいに入れ、①を入れて中火にかける。

❸油の温度を上げながら、ときどきじゃがいもを返して揚げる。竹ぐしを刺してスッと通るようになったら、とり出して油をきる。

❹熱いうちに塩、こしょうを振ってまぶす。

すりじゃがいも揚げ

材料(2人分)

じゃがいも		1個
万能ねぎ		1/2束
A	小麦粉	大さじ3
	しょうゆ	小さじ1/2
	塩	1つまみ
揚げ油		適宜

作り方

❶じゃがいもは皮をむいてすりおろす。万能ねぎは3cm長さに切る。

❷ボールに①のじゃがいもとAを入れ、泡立て器で粉っぽさがなくなるまでよくまぜて、万能ねぎを加えまぜる。

❸フライパンに揚げ油を2cm深さぐらいに入れて中温に熱し、②をスプーンですくって入れる。フライパンにぎっしり入れたら弱めの中火で揚げ、まわりが固まってきたら裏返してじっくりと揚げる。

❹全体がカリッとしてきつね色になったら、火を強めてカラッと揚げる。

アツアツのじゃがいもにドレッシングをからめると味がよくなじむ

調理時間20分 調理時間15分

ポテトの揚げサラダ

材料（２人分）

じゃがいも……………………２個
ベーコン………………………２枚
A
- オリーブ油 ……大さじ１
- 酢………………大さじ１
- 粒マスタード ……小さじ１
- 塩………………２つまみ
- こしょう…………適宜

パセリのみじん切り
……………………大さじ１〜２
揚げ油…………………………適宜

作り方

❶じゃがいもは１㎝厚さの輪切りにし、水にさらして水けをふきとる。
❷ベーコンは１㎝幅に切る。
❸フライパンに揚げ油を２㎝深さぐらいに入れ、①を入れてから火をつけ、中火でときどき返しながらじっくり揚げる。竹ぐしがスッと通ったら火を強めてカラッと揚げる。
❹ベーコンはアルミホイルに広げ、オーブントースターでこんがり焼く。
❺ボールにAを入れてまぜ合わせ、③、④を加えてあえる。
❻器に盛り、パセリを散らす。

揚

材料（２人分）

新じゃがいも ……８個
塩、こしょう …各適宜
揚げ油 …………適宜

● 材料MEMO ●

じゃがいも
丸形の男爵はほくほくした味わい、細長いメークイーンは煮くずれしにくいのが特長。春から夏に出回る小粒の新じゃがは揚げ物や煮物にするとうまい。

うまい、早い、簡単。
速攻で作れるのがうれしいね

コンビーフポテト

仕上げはへらで押しつけて焼くと、こんがりと焼き色がつき、香ばしくでき上がる。

調理時間15分

材料（2人分）

冷凍フライドポテト……200g
コンビーフ……小½缶(50g)
バター……大さじ1
塩……適宜
こしょう……たっぷり

作り方

❶フライパンにバターを入れて火にかけ、ジュワーッととけたら凍ったままのポテトを入れて蓋をする。弱火で蒸し焼きにし、ときどきフライパンを揺すって焦げつきを防ぐ。
❷ポテトがやわらかくなったらコンビーフをくずして加え、中火でほぐすようにいためる。
❸全体がまざったら塩、こしょうで味をととのえ、強火にして、へらで軽く押さえて焼き色をつける。

ビールにも、カリカリッと焼きつけたポテトがすごーく合うよ！

ひき肉入りポテトお焼き

材料（2人分）

じゃがいも……………………2個
合いびき肉……………………50g
卵黄……………………………1個分
パセリのみじん切り
　……………………大さじ1～2
塩……………………………1つまみ
こしょう………………………少々
サラダ油………………………少々
ウスターソース、トマトケチャップ……………………各適宜

作り方

❶じゃがいもは3㎝角に切り、なべに入れて水をひたひたに加え、やわらかくゆでる。
❷湯を捨てて再び火にかけ、揺すりながら水分をとばし、ボールに移して熱いうちにマッシャーなどでつぶす。
❸小なべに湯を沸かして塩少々（分量外）を加え、ひき肉を入れてほぐしながらゆでる。火が通ったらざるに上げ、湯をきる。
❹②に卵黄、③、パセリ、塩、こしょうを加えてよくまぜ、4～6等分して丸める。
❺フライパンを熱してサラダ油を引き、④を入れてへらで押して直径10㎝ほどの大きさにし、弱めの中火で焼く。焼き色がついたら返して裏面も焼く。フライパンの大きさによって、2～3回に分けて焼くといい。
❻器に盛り、ウスターソースやケチャップをかける。

調理時間20分

ホクホクした甘みに人気集中。
揚げたてのうまさったらないよね

調理時間15分

さつまいもの天ぷら

材料（2人分）

さつまいも …小1本（約250g）
A ┌ 小麦粉 …………1カップ
　│ 卵 ……………………1個
　└ 水 ……………………適宜
揚げ油 ……………………適宜

作り方

❶さつまいもは皮をむき、長さを半分に切ってから縦4等分に切り、塩水（分量外）に5分さらして水けをふく。

❷計量カップに卵を割り入れ、Aの水を加えて3/4カップにしてボールに移し、よくときほぐす。小麦粉を加え、泡立て器で粉っぽさがなくなるまでよくまぜる。

❸フライパンに揚げ油を2㎝深さほど入れて中温に熱する。①のさつまいもに②の衣をたっぷりとつけて次次に揚げ油に入れ、弱火で揚げる。まわりが固まってきたら返してじっくりと揚げ、竹ぐしを刺してスッと通ったら火を強めてカラッと揚げる。

アツアツのさつまいもでチーズがとろ～り。ちょこっと甘めも特徴

調理時間15分

さつまいものホットサラダ

材料（2人分）

さつまいも……1本（約300g）
クリームチーズ……………40g
A［マヨネーズ……大さじ1
　はちみつ…………大さじ½
　粒マスタード…小さじ½］

作り方

❶さつまいもは皮をむいて3㎝厚さのいちょう切りにし、塩水（分量外）に5分さらす。

❷なべに水けをきったさつまいもとひたひたの水を入れて、強火でゆでる。竹ぐしを刺してスッと通ったらざるに上げて湯をきる。

❸クリームチーズを1㎝角に切ってボールに入れ、Aとアツアツのさつまいもを加えてあえる。

甘栗を使って、簡単に本格中華ができ上がり。秋らしい一品だね

調理時間20分

栗と鶏肉の中華いため

材料（2人分）

甘栗	20個
鶏もも肉	1枚（約250g）
にんにく	1かけ
しょうが	1かけ
ねぎ	1本
塩、こしょう	各適宜
酒	大さじ1
オイスターソース	大さじ1
ごま油	大さじ1

作り方

❶甘栗は鬼皮と渋皮をむく。
❷鶏肉は黄色い脂をとり除いて一口大に切る。
❸ねぎは1cm長さの小口切りにし、にんにく、しょうがはみじん切りにする。
❹フライパンをよぉく熱してごま油を引き、鶏肉を皮を下にして入れる。塩、こしょうを振り、強火で焼く。皮に焼き色がついたら返して裏面も焼き色をつける。
❺にんにくとしょうがを加えて弱火でいためる。いい香りがしてきたらねぎを加えて強火でいため、焼き色がついたら栗を加えていため合わせる。栗に油が回ったら酒を加えてざっといためる。オイスターソースを加えていため合わせ、塩、こしょうで味をととのえる。

みじん切りはこまかくリズミカルに刻む。トントントン……。

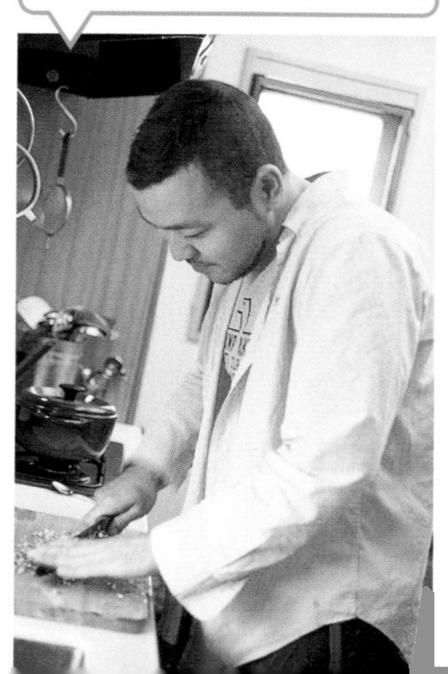

乳製品と栗も相性のいいもの同士。
とろりとした甘みがあとを引く

調理時間20分

栗のドリア

材料（２人分）

栗の甘露煮 … 8～9個
ベーコン ………… 1枚
栗の甘露煮のシロップ …………… 大さじ2
生クリーム … 1カップ
ピザ用チーズ …………… 大さじ3
塩、こしょう …… 各適宜
あたたかいごはん …… 茶わん2杯分強

作り方

❶栗はシロップをきって7㎜角に刻む。ベーコンは5㎜幅に切る。

❷ボールに①、甘露煮のシロップ、生クリームを入れてまぜ、塩、こしょう各少少を加える。ごはんを加えてしゃもじでさっくりとまぜ、味をみて塩、こしょうでととのえる。

❸耐熱容器にバターまたはサラダ油(分量外)を塗り、②を入れてチーズを散らす。250度にあたためたオーブン（オーブントースターでも可）で10分ほど焼き、チーズがとけて焼き色がついたらでき上がり。

★オーブンの温度が200度の場合は15分ぐらい焼く。

レシピのバリエーション

30分じっくりと
ゆでるだけ。
自然のうまみを
たんのうしよう

ゆで栗

調理時間35分

材料（２人分）

生栗 …………………… 10個

作り方

❶栗は洗ってなべに入れ、かぶるぐらいの水を注いで強火にかける。煮立ったら火を弱めて、30分ほどゆっくりゆでる。

❷ざるに上げて湯をきり、縦半分に切って器に盛る。

和風

おつまみにも最適

小さなおかず

メインがどかーんは、もちろんうれしいけれど、
小さいおかずちょこちょこもうれしい。
1個ずつはほんとうになんでもないものだけれど、
小さいおかずちょこちょこはうれしい。
なので、ちょこちょこチョコチョコたくさん作ってみました。　（材料は２人分）

洋風

焼きたてのにんにく風味がいい

ガーリックトースト＋クリームチーズ

材料　バゲット10cm　A（おろしにんにく½かけ分　パセリのみじん切り小さじ２　オリーブ油大さじ２　塩２つまみ　こしょう少々）　クリームチーズ適宜

作り方　❶ボールにAを入れてよくまぜ合わせる。
❷バゲットは縦半分に切り、切り口に①をたっぷり塗って、オーブントースターでいい焼き色がつくまで焼く。
❸クリームチーズを添えて器に盛り、アツアツにクリームチーズを塗って食べる。

調理時間10分

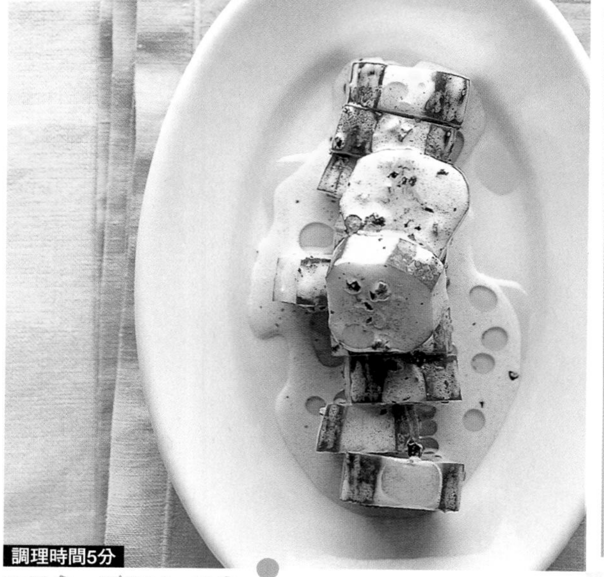

調理時間5分

マヨネーズのソースをひと工夫

きゅうりのサラダ

材料　きゅうり１本　A（オリーブ油、酢各大さじ１　マヨネーズ大さじ½　塩１つまみ　こしょう少々）

作り方　❶きゅうりは皮をピーラーで縞々にむき、厚めの小口切りにする。
❷ボールにAを入れてまぜ、①を加えてあえる。

オリーブ油の風味を生かしたサラダソースで

トマトとバジルのサラダ

材料　トマト１個　バジルの葉８枚　A（おろしにんにく少々　オリーブ油大さじ１　塩１つまみ　こしょう適宜）

作り方　❶トマトはへたをとり、３cm角に切る。バジルは大きければちぎる。
❷ボールにAを入れてまぜ合わせ、①をあえる。

調理時間5分

調理時間5分

小さなおかず

口直しにぴったり

玉ねぎのカレーマリネ

材料　玉ねぎ1個　A（酢大さじ2　砂糖、カレー粉各小さじ1　塩2つまみ　こしょう少々　オリーブ油大さじ1）

作り方　❶玉ねぎは縦薄切りにする。
❷ボールにAを入れてまぜ、①を加えてあえる。ラップをかけて冷蔵庫で5分ほどおき、味をなじませる。

調理時間10分

バターは電子レンジでとかすと簡単

ゆでアスパラのたらこマヨソース

材料　グリーンアスパラガス1束　甘塩たらこ大½腹　A（マヨネーズ大さじ2　牛乳大さじ1　とかしバター小さじ1）

作り方　❶アスパラガスは根元を1㎝ほど切り落とし、下から5㎝ぐらいまでピーラーで皮をむく。塩少々（分量外）を加えた熱湯でかためにゆで、湯をきって器に盛る。
❷たらこは薄皮をとり除いてほぐし、Aとまぜ合わせて①にかける。

調理時間10分

フレッシュな甘みはデザートにもなりそう

ミニトマトのはちみつ漬け

材料　ミニトマト1パック　はちみつ大さじ1　塩2つまみ

作り方　❶小なべに湯を沸かし、トマトのへたの部分にフォークを刺して湯に3〜4秒つけ、すぐに氷水にとる。これを繰り返し、皮とへたをとる。
❷トマトの水けをとってボールに入れ、はちみつと塩を加えてまぜる。ラップをかけて冷蔵庫に10分ほどおいて味をなじませる。

洋風

調理時間10分

オリーブの塩けを生かして

ブロッコリーのオリーブソース

材料　ブロッコリー小1個　黒オリーブ8個　A（オリーブ油大さじ1　塩1つまみ　こしょう少々）
作り方　❶ブロッコリーは食べやすい大きさの小房に切って、塩少々（分量外）を加えた熱湯で15秒ほどゆで、ざるに上げて湯をきる。器に盛る。
❷オリーブは種を除いてこまかく刻み、Aにまぜ合わせて①にかける。

調理時間10分

焦がさないように気をつけよう

焼きピーマン

材料　ピーマン1個　赤と黄色のピーマン各½個　塩、こしょう各少々　オリーブ油適宜
作り方　❶三色のピーマンはへたと種をとり除いて、緑のピーマンは縦4等分に、赤と黄色のピーマンは縦8等分に切る。
❷オーブントースターのトレーにアルミホイルを敷いてオリーブ油を薄く回しかけ、①を並べ、上からもオリーブ油をかけ、塩、こしょうを振って焼き目がつくまで焼く。

こしょうは香りのいいあらびきを使いたい

アスパラガスのマリネ

材料　グリーンアスパラガス1束　にんにくのみじん切り1かけ分　酢大さじ2～3　塩、こしょう各適宜　オリーブ油大さじ2
作り方　❶アスパラガスは根元を1㎝ほど切り落とし、下から5㎝ぐらいまでピーラーで皮をむく。
❷フライパンを熱してオリーブ油を引き、①を強火でいためる。アスパラにいい焼き色がついたらにんにくを加えていため合わせる。
❸にんにくがきつね色になったら火を止め、酢を回しかけて全体をまぜ、塩、こしょうで味をととのえる。

調理時間15分

小さなおかず

調理時間10分

しめじやエリンギでもうまい

マッシュルームのソテー

材料　生のマッシュルーム1パック　にんにく1かけ　塩、こしょう各少々　オリーブ油大さじ1

作り方　❶マッシュルームは石づきを切り落として、縦半分に切る。にんにくは縦半分に切って包丁の腹でつぶす。

❷フライパンを熱してオリーブ油を引き、にんにくと塩を入れて弱火でいためる。いい香りがしてきたらマッシュルームを加えて強火でいため、しんなりしたらこしょうを振る。

ルッコラはごまに似た風味で人気

ルッコラのサラダ

材料　ルッコラ1袋　リーフレタス$\frac{1}{2}$個　A（オリーブ油大さじ1　酢大さじ1～2　塩1つまみ　こしょう適宜　おろしにんにく少々）

作り方　❶ルッコラは根元を切り落とし、リーフレタスは一口大にちぎり、よく洗って水けをきる。

❷器に盛り、Aを振りかけてあえる。

★Aをボールに合わせて、野菜をあえてもよい。

調理時間5分

調理時間5分

あえ物感覚で食べる

にんじんサラダ

材料　にんじん1本　ドレッシング（オリーブ油、酢各大さじ1　塩1つまみ　こしょう少々）こしょう少々

作り方　にんじんは皮をむいて細いせん切りにし、ドレッシングであえて味がなじむまでおく。器に盛り、こしょうを振る。

和風

調理時間5分

香ばしさと歯ざわりがおいしい

油揚げと貝割れ菜のサラダ

材料　油揚げ1枚　貝割れ菜1パック　マヨネーズ大さじ1　しょうゆ小さじ½
作り方　❶油揚げはオーブントースターでカリッとするまで焼き、5㎜幅に切る。
❷貝割れ菜は根元を切り落とし、半分に切る。
❸①と②をボールに入れ、マヨネーズとしょうゆであえる。

調理時間10分

ごま油を加えて風味よく

アスパラガスの梅あえ

材料　グリーンアスパラガス1束　梅干し3個　しょうゆ、ごま油各少々
作り方　❶アスパラガスは根元を1㎝ほど切り落とし、下から5㎝ぐらいまでピーラーで皮をむく。塩少々（分量外）を加えた熱湯で15秒ほどゆで、湯をきって3～4㎝長さに切る。
❷梅干しは種を除き、果肉を包丁でこまかくたたいてしょうゆ、ごま油をまぜ、アスパラをあえる。

中までアツアツに焼いて

焼き厚揚げ

材料　厚揚げ1枚　おろし大根2～3㎝分　おろししょうが少少　万能ねぎ、しょうゆ各適宜
作り方　厚揚げは、オーブントースターで表面がカリッとするまで焼き、5㎜厚さに切って器に盛る。おろし大根とおろししょうがをのせ、小口切りの万能ねぎを散らし、しょうゆをかける。

調理時間10分

小さな
おかず

とっさのときに重宝

焼きねぎ

材料　ねぎ1本　しょうゆ少々
ごま油大さじ1

作り方　ねぎは厚めの斜め切りにし、ごま油で焼き色がつくまでいため焼きにし、しょうゆを振りかける。

白と黒のごまを使って香ばしく

いんげんのごまあえ

材料　さやいんげん1袋　A(いり白ごま、いり黒ごま各大さじ1　しょうゆ、みりん各大さじ½)

作り方　❶いんげんは塩少々(分量外) を加えた熱湯でかためにゆで、ざるに上げて湯をきる。
❷Aをまぜ合わせて①をあえる。

とうふはよぉく冷やしておこう

じゃこどうふ

材料　とうふ1丁　ちりめんじゃこ大さじ2～3　A（しょうゆ、ごま油各大さじ1）　万能ねぎ適宜

作り方　とうふは軽く水きりし、大きめのスプーンで一口大にすくって器に盛る。まぜ合わせたAをかけてじゃこと万能ねぎをのせる。好みでいりごまを振る。

和風

調理時間10分

漬け物がわりにも

きゅうりの辛みそあえ

材料　きゅうり2本　A（しょうゆ、みりん、酒各大さじ1　赤みそ大さじ½　豆板醤小さじ1〜2　砂糖小さじ1）

作り方　❶きゅうりは両端を切り落とし、皮をピーラーで縞々にむき、1.5㎝厚さの小口切りにして、ボールに入れる。
❷小なべにAを入れてまぜ合わせ、ひと煮立ちさせてアツアツを①にかけてあえる。味がなじむまでおいて器に盛る。

調理時間10分

塩を振って焼くと
水っぽくならないよ

焼きしめじ

材料　しめじ1パック　塩、しょうゆ、こしょう各適宜

作り方　❶しめじは石づきを切り落とし、手で小房に分ける。
❷アルミホイルにのせて塩を振り、オーブントースターで焼く。
❸しなっとして少し焼き色がついたら器に盛り、しょうゆとこしょうを振りかける。

はちみつのコクのある甘みで
マイルドなすっぱさに

梅干しのはちみつ漬け

材料　梅干し6個　はちみつ大さじ2

作り方　梅干しにはちみつを回しかけ、冷蔵庫に15分ほどおいて味をなじませる。

調理時間5分

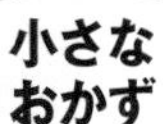

小さな
おかず

調理時間10分

お茶漬けにも合う

しいたけのしぐれ煮

材料　生しいたけ8個　しょうが½かけ　めんつゆ（つけ汁よりやや薄めに水でのばす）½カップ　いり白ごま、いり黒ごま各小さじ1　ごま油少々

作り方　❶しいたけは石づきを切り落とし、縦横に4つに切る。しょうがはせん切りにする。
❷なべにしょうが、めんつゆ、ごま、ごま油を入れて煮立て、しいたけを加えて蓋をし、途中で何度かまぜながら強火で4～5分煮る。

和風味のマヨネーズソースで

小えびとブロッコリーとカリフラワーのサラダ

材料　むきえび100ｇ　ブロッコリー、カリフラワー各½個　Ａ（みりん、しょうゆ、マヨネーズ各大さじ½　サラダ油少々）

作り方　❶ブロッコリーとカリフラワーは小房に分ける。ブロッコリーの茎は皮をそぐようにむいて食べやすい大きさに切る。
❷えびはさっと洗って、あれば背わたをとる。
❸なべに湯を沸かして塩少々（分量外）を加え、まずカリフラワーをゆでてとり出し、次にブロッコリーをゆでてとり出す。最後にえびを入れてゆで、ざるに上げて湯をきる。
❹Ａをまぜ合わせて③をあえる。

調理時間15分

調理時間5分

セロリや絹さやで作っても

ねぎのおかかいため

材料　ねぎ2本　酒、みりん各大さじ1　しょうゆ大さじ½～1　削りがつお1パック　ごま油大さじ1

作り方　❶ねぎは1.5㎝幅の斜め切りにする。
❷フライパンにごま油を熱し、ねぎを中火でいためる。焼き色がついたら酒、みりん、しょうゆで味つけし、削りがつおを加えてざっとまぜ合わせる。

和風

煮物が一皿あるとなごむよね

セロリのさっと煮

材料　セロリ1本　A（しょうゆ、みりん各大さじ1　塩、砂糖各1つまみ　サラダ油少々）一味とうがらし適宜

作り方　❶セロリは筋をピーラーでむき、7～8cm長さに切る。太いものは縦半分に切る。
❷なべに水½カップとAを入れて煮立て、セロリを加えて蓋をし、途中で何度かまぜながら強火で4～5分煮る。
❸器に盛って一味とうがらしを振りかける。

クリームはごまとマヨネーズを隠し味に

貝割れ菜と鶏肉の明太クリーム

材料　鶏ささ身2本　貝割れ菜½パック　からし明太子½腹　A（すり白ごま、牛乳各大さじ1　サラダ油大さじ½　マヨネーズ小さじ1）

作り方　❶ささ身は筋をとり除き、塩少々（分量外）を加えた熱湯でゆでる。中まで火が通ったら流水でざっと洗って水けをとり、小指ぐらいの大きさに裂く。
❷貝割れ菜は根元を切り落とす。長さを半分に切ってもよい。
❸明太子は薄皮をとり除いてボールに入れ、Aを加えてまぜ合わせ、①と②をあえる。

シャキッとした歯ごたえがうまい！

いんげんのみそマヨネーズ

材料　さやいんげん1袋　みそマヨネーズ（マヨネーズ大さじ1　牛乳、みそ、すり白ごま各小さじ1　こしょう少々）

作り方　❶いんげんは塩少々（分量外）を加えた熱湯でかためにゆで、水にとって水けをきり、器に盛る。
❷みそマヨネーズの材料をなめらかにまぜ合わせ、①にかける。

パスタとめんが嫌いな人、いますか?
おれのまわりにはいません。
だからきっと世の中にもいないんじゃないかと思うわけです。
いるのかな。
パスタとめんの注意事項はただひとつ。
のびる前に食え、です。
だからどんなに楽しい仲間と食べるときでも、
食べている間は私語厳禁、で、お願いします。

カルボナーラ

仕上げに加える卵とチーズのマイルドな風味が、うまさを決める

材料（２人分）

スパゲッティ（1.6㎜太さ）……200ｇ
ベーコン……４枚
にんにく……½かけ
卵……２個
粉チーズ……50ｇ
生クリーム……１カップ
塩、こしょう……各適宜
オリーブ油……大さじ１

★つけ合わせの「焼きピーマン」の作り方は134ページ参照。

1

ボールに卵を割り入れて粉チーズを加え、よぉくまぜておく。粉チーズはパルメザンチーズをすりおろして使うと風味がいい。

2

にんにくは縦半分に切ってしんをとり、みじん切りにする。ベーコンは２㎝幅に切る。

3

フライパンを熱してオリーブ油を引き、ベーコンを強火でいためる。ベーコンがカリッとしたらにんにくを加えてさらにいためる。

4

にんにくがきつね色になったら、生クリームを加える。

5

弱火でしばらく煮て、少しとろみがついたら、塩、こしょうで味をつける。

6

スパゲッティがゆで上がったら湯をよくきって**5**に加え、強火で手早くソースをからめて火を止める。

7

すぐに**1**の卵チーズを一気に加え、大急ぎでまぜる。味をみて薄ければ塩、こしょうでととのえる。アツアツを器に盛って、好みで粉チーズ（分量外）、こしょうを振りかける。

●スパゲッティをゆでる
スパゲッティは、塩を加えたたっぷりの湯にパラパラと入れて、袋の表示時間を目安にゆでる。ゆで上がりのタイミングは**5**のソースのでき上がりに合わせる。

調理時間20分

青ねぎとベーコンのパスタ

パスタととびっきり相性がいいバターとしょうゆの香りがたまらない!

調理時間15分

材料（2人分）

スパゲッティ（1.6㎜太さ）……………………200g
万能ねぎ……………………1束
ベーコン……………………4枚
にんにく……………………1かけ
塩、こしょう……………各適宜
バター……………………大さじ1
しょうゆ……………………大さじ1
オリーブ油…………………大さじ2

作り方

❶たっぷりの湯を沸かして塩を加え、スパゲッティをパラパラと入れて、袋の表示時間を目安にゆでる。
❷万能ねぎは5㎝長さに切る。ベーコンは1㎝幅に切る。にんにくはみじん切りにする。
❸フライパンを熱してオリーブ油を引き、にんにくを弱火でいため、色づいてきたらベーコンを加えて強火でいためる。
❹ベーコンがカリッとしたら万能ねぎを加え、塩、こしょうしていため、バターとしょうゆを加えまぜる。
❺スパゲッティがゆで上がったら湯をよくきって④に加え、ざっとまぜる。味をみて薄ければ塩、しょうゆ（分量外）でととのえる。

いか明太クリームのパスタ

生クリームとマヨネーズが辛みをセーブ。パスタにもよくからむ

材料（２人分）

スパゲッティ（1.6㎜太さ）……200ｇ
いかの刺し身……１人前
からし明太子……大½腹
生クリーム……大さじ２
マヨネーズ……大さじ１
しょうゆ……小さじ１
塩……適宜
焼きのり……適宜

調理時間15分

作り方

❶たっぷりの湯を沸かして塩を加え、スパゲッティをパラパラと入れて、袋の表示時間を目安にゆでる。
❷いかは大きければ食べやすく切る。細長く切ったほうが食べやすい。
❸明太子は皮に切り目を入れて身をほぐす。
❹ボールにいか、明太子、生クリーム、マヨネーズ、しょうゆを入れてまぜる。
❺スパゲッティがゆで上がったら湯をよくきって④に加え、まぜる。味をみて薄ければ塩でととのえる。
❻器に盛り、のりをちぎって散らす。

ボンゴレ

海の香りがふわーっと立って食欲をかき立てる、人気のパスタだ

材料（2人分）

スパゲッティ（1.6㎜太さ）……200g
あさり（殻つき）……300g
青じそ……4枚
にんにく……1かけ
赤とうがらし……2本
白ワイン……大さじ2
塩、こしょう……各適宜
オリーブ油……大さじ2

作り方

❶あさりは殻と殻をこすり合わせるようにしてよく洗い、水けをきる。
❷青じそとにんにくはみじん切りにする。赤とうがらしはへたを除く。種はそのまま残す。
❸たっぷりの湯を沸かして塩を加え、スパゲッティをパラパラと入れて、袋の表示時間を目安にゆでる。
❹フライパンを熱してオリーブ油を引き、にんにくを弱火でいためる。いい香りがしてきたら、あさりと青じそを加えて強火でいためる。
❺あさりの口があき始めたら白ワインを振り、赤とうがらしを種ごと加える。あさりの口が完全にあいたら、塩、こしょうで味をととのえる。
❻スパゲッティがゆで上がったら湯をよくきって⑤に加え、強火で手早くまぜる。味をみて薄ければ塩を加える。

調理時間15分

アスパラガスとほたてのパスタ

さっぱりとした塩味だけど、生クリームを少し加えてコクのある味わいに

調理時間15分

材料（2人分）

スパゲッティ（1.6㎜太さ）……200ｇ
グリーンアスパラガス……1束
ほたて貝柱（生食用）……6個
にんにく……1かけ
白ワイン……大さじ2
生クリーム……大さじ2
塩、こしょう……各適宜
オリーブ油……大さじ1

作り方

❶アスパラガスは根元を2㎝ほど切り落として、3㎜幅の斜め切りにする。ほたては4等分に切る。にんにくはみじん切り。
❷たっぷりの湯を沸かして塩を加え、スパゲッティをパラパラと入れて、袋の表示時間を目安にゆでる。
❸フライパンを熱してオリーブ油を引き、にんにくを弱火でいためる。いい香りがしてきたらほたてを加え、中火にしていためる。
❹ほたてに火が通ったらアスパラを加えて塩、こしょうし、いためる。
❺アスパラがしんなりしたら白ワインを加えてまぜ、さらに②のゆで汁大さじ3～4と生クリームを加えてまぜる。味をみて、塩、こしょうでととのえる。
❻スパゲッティがゆで上がったら手早く湯をよくきって、⑤に加えてまぜる。

チーズトマトソースのリガトーニ

トマトソースはいろいろ使えてとっても便利。ほかのパスタでもOK

材料(2人分)

- リガトーニ……………200g
- にんにく………………2かけ
- 赤とうがらし……………2本
- ホールトマト…大1缶(400g)
- オレガノ(ドライ)…小さじ1
- ピザ用チーズ………大さじ3
- 塩、こしょう…………各適宜
- オリーブ油…………大さじ2

1

にんにくは縦半分に切ってしんをとり、みじん切りにする。赤とうがらしはへたをとって種を除く。

2

なべを熱してオリーブ油を引き、にんにくを弱火で、焦がさないようにゆっくりいためる。

3

にんにくがきつね色になったら赤とうがらしを加えてざっといため、トマトを缶汁ごと加える。

4

木べらでトマトをよくつぶして、中火で煮込む。

5

オレガノ(94ページ参照)を加えまぜる。

6

少し煮詰まったら、味をみながら塩、こしょうでととのえる。

7

リガトーニは、塩を加えたたっぷりの湯にパラパラと入れ、袋の表示時間を目安にゆでる。ゆで上がったら湯をよくきって**6**に加える。

8

さらにピザ用チーズも加えて、強火で手早くまぜる。

調理時間20分

ゴルゴンゾーラとナッツのフェトチーネ

ゴルゴンゾーラは独特のくせがあるけれど、これがうまいんだなぁ

調理時間15分

材料（2人分）

フェトチーネ……200g
ゴルゴンゾーラチーズ……50g
くるみ……大さじ山盛り4
にんにく……½かけ
生クリーム……½カップ
塩、こしょう……各適宜
オリーブ油……大さじ1
★フェトチーネは平たいパスタ。ゴルゴンゾーラはイタリアの青かびチーズ。

作り方

❶くるみはオーブントースターで、少ぉし焦げ目がつくまで焼き、あらく割っておく。
❷にんにくはみじん切りにする。チーズは適当な大きさに切る。
❸フライパンを熱してオリーブ油を引き、にんにくを弱火でいためる。
❹にんにくがしっかりきつね色になったら生クリームをジャーッと加え、さらにチーズも加える。弱火のままでチーズが完全にとけるまで煮て、味をみながら塩、こしょうでととのえる。
❺たっぷりの湯を沸かして塩を加え、フェトチーネをパラパラと入れて、袋の表示時間を目安にゆでる。ゆで上がったら湯をよくきって④に加え、手早くまぜる。
❻器に盛ってくるみを散らす。

調理時間10分

ツナとマヨネーズのスパゲッティ

スパゲッティをゆでている間に具を用意。あとはまぜるだけ

材料（2人分）

スパゲッティ（1.6mm太さ）……200g
ツナ……1缶（160g）
ねぎ……1本
A
- いり白ごま……大さじ1
- いり黒ごま……大さじ1
- ごま油、マヨネーズ、オイスターソース…各大さじ1
- しょうゆ……小さじ1
- こしょう……少々

作り方

❶たっぷりの湯を沸かして塩を加え、スパゲッティをパラパラと入れて、袋の表示時間を目安にゆでる。
❷ねぎは斜め切りにする。
❸ツナは缶汁をきる。
❹ボールにねぎ、ツナ、Aを入れてまぜ合わせる。
❺スパゲッティがゆで上がったら湯をよぉくきって④に加え、まぜる。

パスタはゆでたて、あえたてがなんたっていちばんうまい。

セロリの冷たいパスタ

パスタは冷やすと締まるので、表示時間より約1分長くゆでてもいい

調理時間15分

材料（2人分）

スパゲッティ（1.4mm太さ）……200g
セロリ……1本
トマト……小½個
かに缶……1缶（110g）
おろししょうが……少々
レモン汁……大さじ1
オリーブ油……大さじ1
しょうゆ……大さじ1.5
塩、こしょう……各適宜

作り方

❶たっぷりの湯を沸かして塩を加え、スパゲッティをパラパラと入れて、袋の表示時間を目安にゆでる。
❷セロリは筋をピーラーでむき、斜め薄切りにする。葉は手で適当な大きさにちぎる。トマトは5mm角に切る。
❸かにの身はあらくほぐして、あれば軟骨をとり除く。
❹ボールにレモン汁、オリーブ油、しょうゆ、おろししょうが、こしょうを入れてまぜ、②と③を加えてさらにまぜる。味をみて薄ければ塩、こしょうでととのえる。
❺スパゲッティがゆで上がったら湯をきり、すぐに流水でよぉく洗って、氷水につける。完全に冷えたら水けをよくきって④に加え、あえる。
★氷水は、スパゲッティがゆで上がる30秒ぐらい前には用意しておくこと。

きのこのクリームパスタ

**たっぷりのきのこから
うまみが出て、
複雑な味わいのソースに**

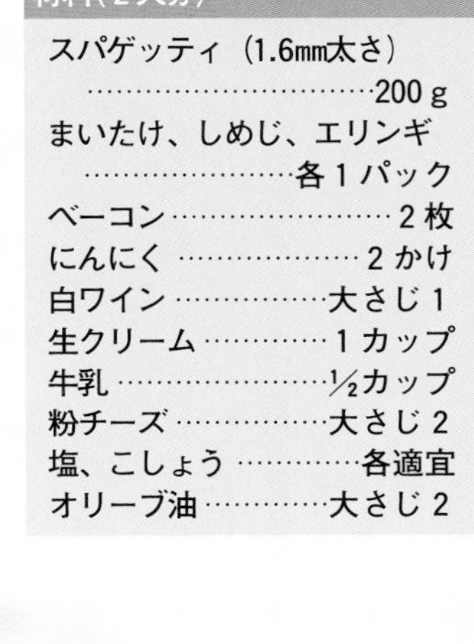

材料（２人分）

スパゲッティ（1.6㎜太さ）……200ｇ
まいたけ、しめじ、エリンギ……各１パック
ベーコン……２枚
にんにく……２かけ
白ワイン……大さじ１
生クリーム……１カップ
牛乳……½カップ
粉チーズ……大さじ２
塩、こしょう……各適宜
オリーブ油……大さじ２

作り方

❶きのこ類は石づきを切り落とし、まいたけとしめじは一口大にほぐし、エリンギは一口大に切る。
❷ベーコンは５㎜幅に切り、にんにくはみじん切りにする。
❸たっぷりの湯を沸かして塩を加え、スパゲッティをパラパラと入れて、袋の表示時間を目安にゆでる。
❹フライパンを熱してオリーブ油を引き、にんにくを弱火でいため、いい香りがしてきたら、ベーコンと①を順に加え、塩、こしょうを振って強めの中火でいためる。
❺しんなりしたら白ワインを加えてざっといため、生クリーム、牛乳、粉チーズを加えて煮詰める。とろみがついたら塩、こしょうで味をととのえる。
❻スパゲッティがゆで上がったら湯をよぉくきって⑤に加え、まぜる。

調理時間20分

調理時間15分

かき揚げそうめん

揚げたてのかき揚げをのっけてツルツル……。ポッと体があたたまる

材料（２人分）

そうめん……200ｇ
かき揚げ（作り方は14ページ参照）……４個
めんつゆ（かけつゆの濃さ）……３カップ
万能ねぎの小口切り……適宜
いり白ごま、一味とうがらし……各適宜

作り方

❶そうめんは袋の表示どおりにゆでてざるに上げ、手早く流水に当ててもみ洗いし、水けをきる。
❷なべにめんつゆを煮立て、①を入れてひと煮する。
❸器に②を盛ってかき揚げをのせ、万能ねぎ、ごま、とうがらしを振る。

ささ身のにゅうめん

具が淡泊なので、
汁も少し薄めのさっぱり味
に仕立てるといい

調理時間15分

材料(2人分)

そうめん……………………200g
鶏ささ身……………………1本
焼きかまぼこ(5㎜厚さ)
……………………………4枚
三つ葉……………………½束
めんつゆ(かけつゆよりやや薄め)…………………3カップ
ゆずの皮……………………少々

作り方

❶そうめんは袋の表示どおりにゆでてざるに上げ、手早く流水に当ててもみ洗いし、水けをきる。
❷ささ身は筋をとって5㎜厚さのそぎ切りにする。三つ葉は根元を切る。
❸なべにめんつゆを煮立て、ささ身を1切れずつ入れ、アクをとりながら弱めの中火で煮る。
❹ささ身に火が通ったら、①と三つ葉を加えてひと煮し、器に盛ってかまぼこをのせ、ゆずの皮を添える。

タンタンあえめん

ピリ辛のひき肉あんをからめた人気味。卵黄をのっけるとうまさ倍増

材料(2人分)

中華生めん……2玉
豚ひき肉……100g
ねぎ……½本
にんにく、しょうが…各1かけ
A
- ピーナッツバター(無糖)……大さじ1
- オイスターソース……大さじ½
- しょうゆ……大さじ½
- 豆板醤……小さじ1

塩、こしょう……各適宜
酒……大さじ1
ごま油……大さじ1

作り方

❶ねぎ、にんにく、しょうがはみじん切りにする。
❷フライパンを熱してごま油を引き、①を弱火でいため、ひき肉を加えて塩、こしょうを振り、ほぐしながら強火でいためる。
❸酒を加えてざっといため、Aを加えていためまぜる。
❹なべにたっぷりの湯を沸かしてめんを好みのかたさにゆで、湯をきって③に加え、あえる。

調理時間15分

あさり中華めん

貝の濃厚なうまみがあとを引くよ。中華ごはんの締めに最適

調理時間20分

材料(2人分)

中華生めん……………………2玉
あさり(殻つき)…………200g
万能ねぎ………………………½束
にんにく、しょうが…各1かけ
酒……………………………大さじ2
オイスターソース…大さじ½
塩、こしょう…………各適宜
ごま油…………………大さじ1.5

作り方

❶あさりは殻と殻をこすり合わせるようにしてよく洗い、水けをきる。
❷万能ねぎは5㎝長さに切る。にんにく、しょうがはみじん切りにする。
❸なべを熱してごま油大さじ1を引き、にんにくとしょうがを弱火でいため、①を加えて強火でいためる。あさりの口があき始めたら酒を加える。
❹万能ねぎを加えてざっといため、湯3カップを加える。強めの中火にして煮立て、火を弱めてアクをとり、オイスターソースを加え、塩、こしょうで味をととのえ、ごま油大さじ½を加える。
❺別なべにたっぷりの湯を沸かしてめんを好みのかたさにゆで、湯をきってどんぶりに入れ、④をかける。

ケンタロウ
知っ得
コラム

7 スパイス&ハーブ

ここではピリッと辛いブレンドタイプのスパイスと、
フレッシュな香りのハーブを紹介。

ルッコラ
ごまのような香りと、クレソン風の辛みがあり、グリーンサラダの風味づけやアクセントにぴったり。ロケット菜、ルコラとも呼ばれ、最近特に人気のある野菜のひとつ。

カレー粉
こしょう、マスタード、ジンジャー、ナツメグ、ターメリックなど、十数種類以上のスパイスをブレンド。それぞれの配合はメーカーによって異なるので、自分の好みで選ぼう。

チリパウダー
洋風とうがらしのメキシカンチリ、クミン、ガーリックなど５種類のスパイスをブレンドしたもので、辛みは弱い。辛みの強いチリペッパーとは別物なので、まちがえないように。

パセリ
快い香りとほろ苦い味が特徴で、どんな料理にも合う。鉄分、ミネラル、ビタミンCなどが豊富で、野菜としてもすぐれもの。葉の広がった品種はイタリアンパセリ。

バジル
しそに似た香りがする。トマトサラダに添えたり、トマトソースなどのトマト料理にじかに入れたりする。刻んだバジルをまぜたスパゲッティ・バジリコもおなじみ。

七味とうがらし
和風のブレンドスパイス。あらびきの赤とうがらしにさんしょうの粉、ごま、けしの実、青のりなどをまぜ合わせる。一味とうがらしは赤とうがらしだけをこまかくひいたもの。

赤とうがらし
たかのつめとも呼ばれ、辛みをプラスするとともに、味を引き締める役目もする。皮より種のほうがずっと辛い。辛みは油にとけ出すので、油を使う料理は初めに入れると効果的。

Part 7

どんぶりとごはん物

どんぶりとごはん物がなによりもいいのは、
１品で完結してしまう、ということだ。
ごはんの上のものをそれぞれ皿に盛ったら
さびしい食卓になってしまうようなものだって、
ごはんの上にのせちゃえば、とたんにうれしいものになる。
たとえば、ハムと玉ねぎとピーマンと卵とごはんだけじゃ、
普通のおかずとしてはちょっと無理があるけれど、
オムライスにしたとたんに
みんながうれしいものになる。すごいよな。

カツ丼

**カツは市販品を利用。
その分、カツをあたためるひと手間はかけてほしい**

調理時間15分

材料(２人分)

とんカツ（市販品）……２枚
卵……３個
玉ねぎ……½個
万能ねぎ……⅓束
めんつゆ（どんぶりまたは煮物用の濃さにのばして）‥１カップ
アツアツのごはん……２人分

作り方

❶カツは、オーブントースターでカリッとするまであたため、食べやすい厚さに切る。
❷玉ねぎは縦薄切りにする。万能ねぎは４～５㎝長さに切る。卵は割りほぐす。
❸１人分ずつ作る。小なべにめんつゆの半量を入れて火にかけ、煮立ったら弱火にして玉ねぎの半量をしんなりするまで煮る。
❹カツ１枚分を並べ入れ、とき卵の半量を箸を伝わらせながら回しかけ、万能ねぎの半量を散らす。
❺すぐに蓋をして弱火で30秒ほど煮て火を止め、そのままでさらに20秒蒸らす。
❻どんぶりにごはんを盛って⑤をのせる。同様にしてもう１人分も作る。

親子丼

どんぶりの定番はやっぱりうまいっ！
いつ食べても飽きないよね

調理時間20分

材料（２人分）

鶏もも肉
　‥１枚（250〜300ｇ）
卵……………………２個
ねぎ………………１本
三つ葉……………1/3束
めんつゆ（どんぶりまたは煮物用の濃さにのばして）‥1カップ
アツアツのごはん
………………２人分
七味とうがらし…少々

作り方

❶鶏肉は黄色い脂をとり除いて一口大に切る。ねぎは４cm長さに、三つ葉は３cm長さに切る。卵は割りほぐす。

❷１人分ずつ作る。小なべにめんつゆの半量を入れて火にかけ、煮立ったら弱火にして鶏肉の半量を加えて、蓋をして２〜３分煮る。

❸肉に火が通ったらねぎの半量を加えてさらに煮る。しんなりとしたら、三つ葉の半量を散らし入れ、とき卵の半量を箸を伝わらせながら全体に回しかける。すぐに蓋をして弱火で30秒煮て火を止め、そのままでさらに20秒蒸らす。

❹どんぶりに盛ったごはんの上に③をのせ、七味とうがらしを振る。同様にしてもう１人分も作る。

鶏肉のドライカレー丼

**カレー味の鶏そぼろ丼。
アスパラはいっしょにいためまぜてもいい**

材料（２人分）

鶏ひき肉……………150ｇ
グリーンアスパラガス
……………………１束
玉ねぎ………………１個
にんにく、しょうが
……………各１かけ
A ┌ カレー粉‥大さじ½
　│ ウスターソース
　│ ………大さじ１
　│ しょうゆ‥小さじ１
　└ 砂糖 ……１つまみ
塩、こしょう…各適宜
オリーブ油
……………大さじ1.5
アツアツのごはん
…………………２人分

作り方

❶アスパラガスは根元を１cmほど切り落とし、下から５cmくらいまでの皮をピーラーでむき、３mm幅の斜め切りにする。
❷玉ねぎ、にんにく、しょうがはみじん切りにする。
❸フライパンを熱してオリーブ油大さじ½を引き、強火でアスパラガスをいためて、油が回ったら塩、こしょうして、とり出す。
❹フライパンに残りのオリーブ油を足して、にんにくとしょうがを弱火でいためる。いい香りがしてきたら玉ねぎを加えて中火にし、玉ねぎがきつね色になるまでさらにいためる。
❺ひき肉を加えてほぐしながらいため、肉の色が変わったらＡとこしょうを加えまぜ、塩で味をととのえる。
❻どんぶりにごはんを盛って、③と⑤をのせる。

調理時間25分

ステーキ丼

スペシャル丼だよ。好みに焼いた肉に、
たれをからめてごはんにのっけ

調理時間20分

材料（２人分）

- 牛ステーキ肉（１枚150〜180ｇ）…２枚
- 万能ねぎ…………½束
- A
  - おろしにんにく………½かけ分
  - しょうゆ………大さじ１
  - みりん…小さじ１
  - こしょう……適宜
- バター………大さじ１
- サラダ油……大さじ１
- アツアツのごはん……………２人分

作り方

❶万能ねぎは４〜５㎝長さに切る。
❷バットまたはボールにＡを入れてまぜ合わせる。
❸フライパンを熱してサラダ油大さじ½を引き、①を強火でさっといためてとり出す。
❹フライパンに残りのサラダ油を足してよぉく熱し、牛肉を並べ入れ、ガンガンの強火で両面に焼き色がつくまで焼く。焼きかげんは好みで。
❺ステーキを食べやすい大きさに切って②のたれにつけ、味をからめる。
❻どんぶりにごはんを盛ってバターを半量ずつ落とし、⑤、③を盛り、たれを好みにかける。キャベツの漬け物（作り方21ページ参照）などを添える。

ひき肉はるさめ丼

**中華風にいためたピリ辛の具を、
ごはんにまぜ込んで食べるとうまい**

調理時間20分

材料（2人分）

- 豚ひき肉………150g
- はるさめ…………50g
- にら………………½束
- ねぎ………………1本
- にんにく、しょうが……………各1かけ
- 酒……………大さじ1
- オイスターソース……………大さじ1
- 豆板醤…小さじ1～2
- しょうゆ……小さじ½
- 塩、こしょう…各少々
- ごま油………大さじ1
- アツアツのごはん………………2人分

作り方

❶はるさめは袋の表示どおりにもどし、長ければ食べやすく切る。

❷にらは5㎝長さに切る。ねぎ、にんにく、しょうがはみじん切りにする。

❸中華なべ（またはフライパン）を熱してごま油を引き、にんにくとしょうが、ねぎを弱火でいためる。

❹いい香りがしてきたら、ひき肉を加えて強火でいためる。肉の色が変わったら酒を加えてざっとまぜ、オイスターソース、豆板醤、しょうゆも加えていため合わせる。

❺水けをきった①を加えてまぜ、最後ににらを入れてさっといためまぜる。味をみて薄ければ塩、こしょうでととのえる。

❻どんぶりにごはんを盛り、⑤をのせる。

みそなす豚丼

**みそとごま油のいい香りに、
豆板醤のピリ辛で食欲増進**

材料（２人分）

豚こまぎれ肉……200ｇ
なす………………２個
にんにく、しょうが
……………各１かけ
万能ねぎ…………適宜
A
- みそ ……大さじ１
- 酒、みりん ……各大さじ１
- 豆板醤…小さじ１
- オイスターソース ………小さじ１

ごま油………大さじ２
アツアツのごはん
………………２人分

作り方

❶なすは縦半分に切って２cm厚さの半月切りにし、濃いめの塩水（分量外）に２～３分つける。にんにく、しょうがはみじん切り、万能ねぎは小口切りにする。
❷Aはまぜ合わせる。
❸フライパンをよぉく熱してごま油を引き、にんにく、しょうが、万能ねぎを弱火でいためる。いい香りがしてきたら、肉を加えて強火でいためる。
❹肉の色が変わったら水けをきったなすを加えていためる。なすがしんなりしたら②をジャーッと加えて煮からめる。
❺どんぶりにごはんを盛って④をのせる。

海鮮あんかけ丼

大ぶりの具がたっぷりのあんを、
ごはんにからめてハフハフ食べよう

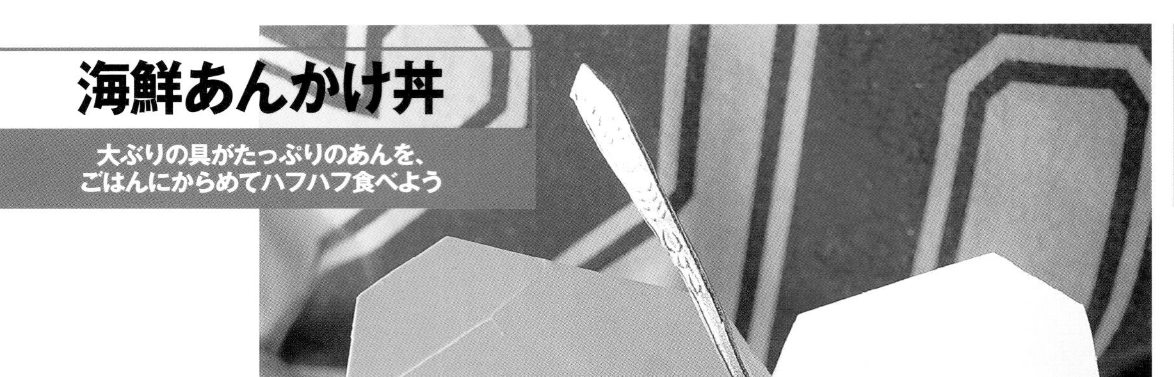

材料（２人分）

大正えび（またはブラックタイガー）…４尾
ロールいか（冷凍）…100ｇ
ほたて貝柱（生食用）…２個
小松菜…½わ
にんじん…小½本
にんにく、しょうが…各１かけ
A
- 酒…大さじ１
- 水…１カップ
- オイスターソース…大さじ½
- しょうゆ…大さじ１

かたくり粉…大さじ１
塩、こしょう…各適宜
ごま油…大さじ２
アツアツのごはん…２人分

調理時間25分

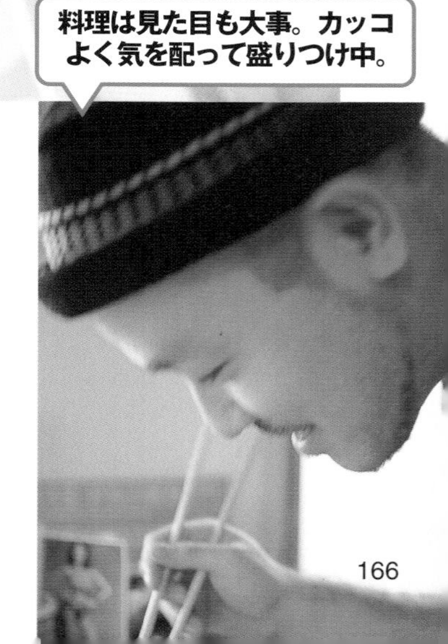

料理は見た目も大事。カッコよく気を配って盛りつけ中。

作り方

❶えびは殻と尾を除き、背開きにして、あれば背わたをとる。いかは解凍して５×１㎝角に切る。ほたては半分に切る。
❷小松菜は４～５㎝長さに切る。にんじんは薄い半月切りにする。にんにくとしょうがはみじん切りにする。
❸中華なべ（またはフライパン）を熱してごま油を引き、にんにくとしょうがを弱火でいためる。いい香りがしてきたらほたてを加え、強火でいためる。
❹ほたての色が変わったらえび、いかを加えてさっといため、にんじんを加えていためる。えび、いか、ほたてに火が通ったら小松菜を加えてざっといため合わせ、Aを酒、水、オイスターソース、しょうゆの順に加えてまぜ合わせる。
❺煮立ったら火を止め、水大さじ２でといたかたくり粉を手早く全体に回し入れ、再度火をつけて全体をまぜてとろみがついたら完成。味をみて塩、こしょうでととのえる。
❻どんぶりにごはんを盛って⑤をのせる。

ビビンバ

彩りよく盛り合わせた具を、ごはんとよぉくまぜて食べるのがうまいっ

材料（２人分）

- 牛カルビ肉……200ｇ
- A
  - ねぎのみじん切り…………½本分
  - しょうゆ………大さじ１
  - みりん………大さじ½
  - ごま油………大さじ½
  - いり白ごま….小さじ１～２
- ほうれんそう …..½束
- B
  - しょうゆ………小さじ１
  - ごま油………少々
  - いり白ごま…少々
- 豆もやし…..½袋（約130ｇ）
- C
  - ねぎのみじん切り…………½本分
  - しょうゆ………大さじ１
- 好みのキムチ …..適宜
- 卵黄……………２個分
- ごま油………大さじ½
- アツアツのごはん………………２人分

作り方

❶牛肉は繊維に沿って細切りにする。ボールにAをまぜ合わせ、肉を入れて手でよくもみ込む。

❷なべに湯を沸かして塩少少（分量外）を加え、グラグラ煮立ったところにほうれんそうを葉先から入れてゆで、水にとる。つづいてもやしをさっとゆでてざるに上げ、湯をきる。

❸ほうれんそうは水けをよくしぼり、食べやすい長さに切ってBであえる。もやしはCであえる。

❹フライパンをよぉく熱してごま油を引き、①を入れて強火で焼き色をつける。

❺どんぶりにごはんを盛り、③と④、キムチを盛り合わせ、まん中に卵黄を落とす。

食べるときは、卵黄をくずし、具の味がごはんにうまく行き渡るまでよぉくまぜる。

明太しそごはん

しょうゆ、酒、ごま油を少々プラスするだけで、ひと味違う味になる

材料（2人分）

- からし明太子……1腹（2本）
- 青じそ…………3～4枚
- いり白ごま…………適宜
- A
  - しょうゆ…………小さじ½
  - ごま油…………小さじ½
  - 酒…………小さじ1
- アツアツのごはん…………茶わん2～3杯分

作り方

❶明太子は薄皮に切り目を入れてほぐす。青じそはクルクルと巻いてせん切りにする。

❷ボールに①、ごま、Aをまぜ合わせ、ごはんを入れて、全体を切るようにさっくりまぜ、器に盛る。

調理時間10分

豚肉とサニーレタスのまぜごはん

生の葉っぱのサクサクとした食感が、和風ライスサラダ風

調理時間15分

材料（2人分）

- 豚バラ薄切り肉…………150g
- サニーレタス…………¼個
- A
  - おろししょうが…………少々
  - すり白ごま…………大さじ1
  - ごま油…………大さじ1
  - しょうゆ…………大さじ1
  - みりん…………大さじ½
- アツアツのごはん…………茶わん山盛り2杯分

作り方

❶豚肉は一口大に切り、塩少々（分量外）を加えた熱湯でゆでる。色が変わって火が通ったらざるに上げて湯をきる。

❷サニーレタスは一口大にちぎり、水けをよくきる。

❸ボールにAをまぜ合わせて①を加えまぜ、ごはん、②の順に加えて、さっくりと切るように全体をまぜ合わせる。

きのこと豚肉のまぜごはん

おかず兼用のまぜごはん。
具は少し濃いめに味をつけるのがポイント

調理時間20分

材料（2人分）

豚ロース薄切り肉
…………………100g
しめじ………1パック
生しいたけ………2個
えのきだけ………1袋
にんにく…1～2かけ
バター…大さじ1～2
しょうゆ……大さじ1
アツアツのごはん
…茶わん2～3杯分

作り方
❶豚肉は一口大に切る。きのこ類は石づきを切り落とし、しめじは小房に分け、しいたけは薄切りに、えのきは2～3つに切ってほぐす。にんにくは1～2㎜厚さの薄切りにする。
❷フライパンにバターを入れて火にかけ、ジュワーッととけたらにんにくを弱火でいためる。いい香りがしてきたら肉を加え、強火でいためる。
❸肉の色が変わったらきのこ類を加えてよくいため、しょうゆで味をつける。
❹ボールにごはんを入れて③をのせ、さっくりとまぜ合わせる。

ごはんを軽くほぐし、つぶさないように木べらで切るようにして、さっくりとまぜる。

細切り豚肉チャーハン

肉がたっぷり入ってボリューム満点。
仕上げにごまをパラパラ……

調理時間15分

材料（２人分）

豚もも薄切り肉…………150ｇ
ねぎ…………………………１本
にんにく…………………１かけ
塩………………………２つまみ
こしょう……………………適宜
しょうゆ……………………少々
いり白ごま…………………適宜
ごはん（冷たくても可）
………………どんぶり２杯分
ごま油………………大さじ１

作り方

❶豚肉は細切りにする。ねぎは小口切り、にんにくはみじん切りにする。
❷中華なべ（またはフライパン）をよぉく熱してごま油を引き、にんにくとねぎを弱火でいため、いい香りがしてきたら肉を加えて中火でいためる。
❸肉の色が変わったらごはんを加えて塩、こしょうを振り、へらでほぐすようによぉくいためる。
❹味をみてしょうゆを回し入れ、強火で手早くいためまぜ、ごまを振る。

鮭チャーハン

**鮭とバターの組み合わせは美味。
だからこのチャーハンはバターで作る**

調理時間15分

材料（２人分）

甘塩鮭	２切れ
万能ねぎ	½束
にんにく	１かけ
バター	大さじ１
塩	１つまみ
こしょう	適宜
しょうゆ	小さじ１
ごはん（冷たくても可）	どんぶり２杯分

作り方

❶鮭は骨と皮をとって一口大に切る。万能ねぎは小口切り、にんにくはみじん切りにする。

❷フライパンにバターを入れて火にかけ、ジュワーッととけたらにんにくを弱火でいためる。

❸にんにくのいい香りがしてきたら鮭を加え、中火でほぐしながらいためる。

❹鮭に火が通ったらごはんを加え、へらでほぐすようにいためる。底から返すようにいため、万能ねぎを加え、塩、こしょう、しょうゆで味をつける。

ねぎチャーハン

**具はねぎと卵だけ。
シンプルな味はいくら食べても飽きない**

調理時間10分

材料（2人分）

ねぎ……1本
卵……2個
しょうゆ……小さじ1～2
塩……2つまみ
こしょう……適宜
ごま油……大さじ1
ごはん（冷たくても可）
……どんぶり軽く2杯分

作り方

❶ねぎはあらめのみじん切りにする。卵はよくとく。ごはんは、アツアツの場合は皿などに広げて冷ます。
❷中華なべ（またはフライパン）をよぉく熱してごま油を引き、ねぎを中火でいため、焦げないうちに卵をすばやくジャーッと加える。
❸卵の縁がブクブクしてきたら大きくまぜ、ほぼ火が通ったらごはんを加えて、へらでほぐしながらよくいためまぜる。
❹しょうゆを回し入れて手早くまぜ、味をみて塩、こしょうでととのえる。器に盛り、シンプルなグリーンサラダなどを添える。

豚キムチチャーハン

**味つけはキムチのすっぱ辛さでほとんどOK。
元気が出る一皿だよ**

調理時間15分

材料（2人分）

豚バラ薄切り肉……150g
ねぎ……½本
にんにく、しょうが…各½かけ
白菜キムチ……150g
しょうゆ……適宜
塩、こしょう……各適宜
ごま油……大さじ1
ごはん（冷たくても可）
……茶わん2杯分

作り方

❶豚肉は一口大に切る。ねぎ、にんにく、しょうがはみじん切りにする。キムチは大きければ食べやすく切る。
❷フライパンを熱してごま油を引き、にんにくとしょうがを弱火でいため、いい香りがしてきたらねぎを加えて中火でいためる。
❸肉を加えて塩、こしょう各少々を振り、強火でざっといためる。ごはんを加え、へらでほぐしながらいためる。
❹ごはんがパラパラになったらキムチを加えていため合わせ、しょうゆ、塩、こしょうで味をととのえる。

サラミチャーハン

スパイシーなサラミの風味が新鮮。目玉焼きをくずしまぜて食べよ

調理時間20分

材料（2人分）

材料	分量
サラミソーセージ	1/4本
万能ねぎ	1/2束
にんにく	1かけ
卵	2個
しょうゆ	適宜
塩、こしょう	各適宜
バター	大さじ1
サラダ油	小さじ2強
ごはん（冷たくても可）	茶わん2〜3杯分

作り方

❶サラミは輪切りにしてからせん切りにする。ねぎは小口切り、にんにくはみじん切りにする。

❷フライパンを熱してサラダ油小さじ1とバターを入れ、にんにくを弱火でいためる。いい香りがしてきたらサラミを加えていためる。

❸ごはんを加え、へらでほぐしながら強火でいため、パラパラになったらねぎを加えていためまぜる。しょうゆ、塩、こしょうで味をととのえ、器に盛る。

❹フライパンにサラダ油小さじ1強を足して熱し、卵を1個ずつ割り落として好みに焼き、③にのせる。

豆とベーコンのカレー

**いいベーコンを使うのがポイント。
ちょっとこだわってほしいな**

材料（２人分）

大豆の水煮缶 ……１缶
（固形量150ｇ）
ベーコン（１㎝厚さのもの）…………２枚
にんにく………１かけ
こしょう…………適宜
カレールー
……１箱（５皿分）
サラダ油 ……小さじ１
アツアツのごはん
どんぶり軽く２杯分

作り方

❶ベーコンは２㎝幅に切る。にんにくはみじん切りにする。
❷なべを熱してサラダ油を引き、ベーコンを強めの中火でいためる。ベーコンに焼き色がついたらにんにく、こしょうを加えていため、にんにくがきつね色になったら缶汁をきった大豆を加えてざっといためる。
❸カレールーの箱の表示量の半量の湯をジャーッと加え、煮立ったらアクをとって火を止め、カレールーを割って加える。再び火をつけてとろみがつくまで煮込む。
❹器にごはんを盛り、③をかける。

調理時間30分

トッピングカレー

煮込まずにできる超簡単カレー。トッピングでいろんな味が楽しめる

調理時間20分

材料（2人分）

カレールー
……1箱（5皿分）
トッピング
A
- ハム……2～3枚
- 玉ねぎ……小1/2個
- ミニトマト……7～8個
- ししとうがらし……5～6本
- プロセスチーズ……30g

アツアツのごはん……適宜

作り方

❶なべにカレールーの箱の表示量の半量の水を入れて沸かし、グラグラ煮立ったら火を止めてカレールーを入れる。再び火をつけ、弱火でルーを煮とかす。

❷ハムは1㎝角に切り、玉ねぎは縦に薄切りにする。ミニトマトはへたをとって四つ割り、ししとうは小口切りに、プロセスチーズはコロコロに切る。食べやすい切り方ならば、どんな切り方でもいい。

❸器にごはんを盛って②のトッピングを好みにのせ、上からアツアツの①をかける。

オムライス

**フライパンは直径15㎝ぐらいが適当。
卵なしならチキンライスだよ**

調理時間25分

材料（２人分）

卵……………………２個
鶏胸肉…………150ｇ
玉ねぎ…………小½個
ピーマン…………２個
バター………大さじ１
塩、こしょう…各少々
トマトケチャップ
………大さじ２～３
アツアツのごはん
……どんぶり２杯分

作り方

❶鶏肉、玉ねぎは１㎝角に切る。ピーマンはへたと種をとり、１㎝角に切る。

❷フライパンにバターを入れて火にかけ、ジュワーッととけたら鶏肉を中火でいためる。肉の色が変わったら、玉ねぎ、ピーマンを加えていため、しんなりしたら塩、こしょう、ケチャップを加えて強火にし、全体をまぜて火を止める。

❸ごはんを加えて、へらで切るようにほぐしながらよくまぜる。

❹ここからは１人分ずつ焼く。直径15㎝くらいのフライパンにバター少々（分量外）を入れて弱火にかけ、ジュワーッととけたら、よくときほぐした卵１個分を流し入れ、フライパン全体に広げる。卵の縁が乾いてきたら火を止め、③の半量を中央にのせ、卵の両端をかぶせて包む。

❺フライパンに一回り大きい皿をぴったりかぶせ、皿をしっかり押さえて一気にひっくり返す。④を繰り返してもう１人分作り、ケチャップ（分量外）を好みにかける。

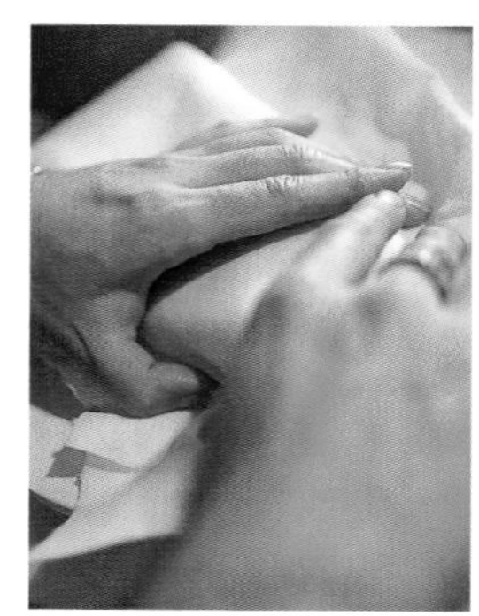

皿に返すときに形が少しくずれたら、ペーパータオルをかぶせ、手で軽く押さえてととのえる。

Part 8

汁とスープのある食卓が好きだ。
だから作ります。
それも、何時間もかけて煮込んだスープじゃなくって、
食べたいときにすぐ作れるスープと汁。
あー、うまいスープが飲みたいなあ、と思ってから、
食べるまで 4 時間なんて、
おれはとても待てそうもないのです。

ねぎを主役にたっぷり入れる。
シンプルだけど、幸せな気分になれる

ねぎとわかめのみそ汁

調理時間10分

材料（２人分）

ねぎ……………… １本
塩蔵わかめ・¼カップ
だし
┌削りがつお
│…………１つかみ
└水………３カップ
みそ………大さじ２

作り方

❶ねぎは小口切りにする。わかめは水で洗って塩分を抜き、ざく切りにする。

❷なべにだしの水を入れてグラグラ煮立たせ、削りがつおをブワァと入れて２～３分弱火で煮出す。網じゃくしで削りがつおをすくいとって箸で押さえ、よぉくしぼる。

❸味をみながらみそをとき入れ、①を加えてさっと火を通す。

とうふとわかめのみそ汁

調理時間10分

材料（２人分）

とうふ………小½丁
塩蔵わかめ・¼カップ
だし
┌削りがつお
│…………１つかみ
└水………３カップ
みそ………大さじ２

作り方

❶とうふは２㎝の正方形に切る。わかめは水で洗って塩分を抜き、ざく切りにする。

❷上記の「ねぎとわかめのみそ汁」と同様にだしをとり、味をみながらみそをとき入れ、①を加えてさっと火を通す。

みそ汁の定番中の定番味。とうふと
わかめは煮すぎないのがコツ

ごま油少々を最後にたらり。
これだけで香りとコクが格段にアップ

じゃがいも汁

調理時間15分

材料(2人分)

じゃがいも……1個
万能ねぎ……2〜3本
だし
［削りがつお……1つかみ
　水……3カップ
みそ……大さじ2
ごま油……少々

作り方

❶じゃがいもは小さめの一口大に切り、水に2〜3分さらす。万能ねぎは小口切りにする。
❷右ページの「ねぎとわかめのみそ汁」と同様にだしをとり、水けをきったじゃがいもを加え、中火で、竹ぐしを刺してスッと通るまで煮る。
❸味をみながらみそをとき入れ、仕上げに万能ねぎを加え、ごま油をたらす。

キャベツと油揚げのみそ汁

調理時間15分

材料(2人分)

キャベツ……2枚
油揚げ……1枚
だし
［削りがつお……1つかみ
　水……3カップ
みそ……大さじ2
切り白ごま……適宜

作り方

❶キャベツは一口大にザクザク切る。油揚げは熱湯を回しかけて冷まし(流水で洗っても可)、水けをしぼって1㎝弱の幅に切る。
❷右ページの「ねぎとわかめのみそ汁」と同様にだしをとり、みそをとき入れる。
❸①を加えて、煮立てないようにして少し煮る。器に盛り、ごまを振る。

みそ汁は煮立てると風味がとぶので、
キャベツは静かに煮ること

ごま油で香ばしく焼きつけた鶏肉を
煮込むから、だしはいらない

材料（2人分）

鶏手羽先……2本
ねぎ……½本
みそ……大さじ2
しょうゆ……小さじ1
ごま油……小さじ1

作り方
❶ねぎはみじん切りにする。
❷なべを熱してごま油を引き、手羽先を入れて強火で焼き、両面に焼き色がついたら水（または湯）3カップをジャーッと加える。煮立ったらフツフツする程度に火を弱め、アクをとりながら、15分ほど煮る。
❸味をみながらみそをとき入れ、しょうゆでととのえる。器に盛って①を散らす。

手羽先のみそスープ煮

調理時間20分

豚肉をいためてコクを出すのがコツ。
根野菜たっぷりがうれしいね

調理時間20分

豚汁

材料（２人分）

豚こまぎれ肉……………100ｇ
ねぎ ……………………… １本
大根 ……………………… ５㎝
にんじん ………………小½本
冷凍里いも（市販）……150ｇ
みそ …………大さじ２～３
ごま油………………大さじ１
切り白ごま、七味とうがらし
…………………………各適宜

作り方

❶ねぎは２㎝幅の斜め切り、大根は５㎜厚さのいちょう切り、にんじんは５㎜厚さの半月切りにする。
❷なべを熱してごま油を引き、肉とねぎを中火でいためる。
❸ねぎに焼き色がつき、肉に火が通ったら、大根、にんじんを加えていためる。
❹野菜に油が回ったら水（または湯）３カップをジャーッと加え、煮立ったら火を弱めてアクをすくいとる。
❺大根がやわらかくなったら里いもを凍ったまま入れ、中までやわらかくなったらみそをとき入れる。器に盛り、ごまと七味とうがらしを振る。

ジャジャッといためてお湯を加えるだけ。
だしもスープもいらないよ

豚肉とキャベツのスープ

材料（２人分）

- 豚肩ロース薄切り肉……150ｇ
- キャベツ……1/8個
- にんにく、しょうが…各１かけ
- 塩、こしょう……各適宜
- ごま油……大さじ１

作り方

❶豚肉とキャベツは一口大に切る。にんにくとしょうがはみじん切りにする。

❷なべを熱してごま油を引き、にんにくとしょうがを弱火でいためる。いい香りがしてきたら肉を加え、強火でいためる。

❸肉の色が変わったらキャベツを加えて塩、こしょうを軽く振り、いため合わせる。全体に油が回ったら湯３カップをジャーッと加え、弱火で２分ほど煮、味をみながら塩、こしょうでととのえる。

調理時間15分

とろ〜りとした汁にホッ！
体の中からあったまるよ

調理時間15分

とうふと大根のとろみ汁

材料（2人分）

大根……………………………5㎝
とうふ……………………………½丁
万能ねぎ………………1〜2本
だし
┌削りがつお………1つかみ
└水…………………3カップ
しょうゆ……………小さじ1
塩………………………………適宜
かたくり粉…………小さじ1

作り方

❶なべにだしの水を入れてグラグラ煮立たせ、削りがつおをブワァと入れて2〜3分弱火で煮出す。網じゃくしで削りがつおをすくいとって箸で押さえ、よぉくしぼる。
❷大根は5㎜厚さのいちょう切りにする。とうふは食べやすい大きさに切る。万能ねぎは2〜3㎝長さに切る。
❸①のだしに大根を入れて弱めの中火で煮、やわらかくなったらしょうゆを加え、味をみながら塩でととのえる。
❹とうふを加えて少し煮、火を止める。水大さじ1でといたかたくり粉を流し入れてさっとまぜ、再び火をつけてとろみがつくまで煮る。器に盛って万能ねぎを散らす。

スープにサラミのスパイシーな風味がとけ出して、深みのある味になる

サラミのサラダスープ

調理時間20分

材料(2人分)

- サラミソーセージ……¼本
- セロリ……1本
- サラダ菜……½個
- にんにく、しょうが…各1かけ
- オイスターソース…小さじ1
- 塩、こしょう……各少々
- ごま油……少々

作り方

❶サラミは5㎜角に切る。セロリの茎は斜め薄切りにし、セロリの葉とサラダ菜は一口大にちぎり、にんにく、しょうがはみじん切りにする。

❷なべを熱してごま油を引き、にんにくとしょうがを弱火でいためる。サラミとセロリを加えて強めの中火でいため、セロリの葉を加えていためる。しんなりしたら湯3カップをジャーッと加えて、10分煮る。

❸オイスターソースを加え、味をみて塩、こしょうでととのえ、サラダ菜を加えてひと煮する。

こってりおかずに最適なさっぱりスープ。ラー油は最後にたら〜り

はるさめと鶏肉の辛いスープ

材料（4人分）

鶏ささ身……4本
ねぎ……½本
はるさめ……70g
にんにく、しょうが…各1かけ
塩……適宜
しょうゆ……小さじ1
ラー油……適宜

作り方

❶ささ身は筋をとり、斜めに4等分に切る。はるさめは袋の表示どおりにもどし、長ければ食べやすく切る。
❷ねぎは白い部分を3〜4㎝長さに切り、切り開いて縦にせん切りにし、水にさらす。青い部分はとっておく。にんにく、しょうがは半分に切る。
❸なべに水8カップを沸かして塩少少を加え、煮立ったところにささ身、にんにく、しょうが、ねぎの青い部分を入れ、アクをとりながら10〜15分煮る。
❹にんにく、しょうが、ねぎをとり出し、水けをきったはるさめを加える。しょうゆを加え、味をみて塩でととのえる。
❺器に盛り、ラー油をたらして水けをきったねぎを散らす。

ねぎとごま油の風味が食欲をそそる。
中華献立にぴったりのスープ

調理時間15分

チンゲンサイとハムのスープ

材料（2人分）

チンゲンサイ	1株
ハム	3～4枚
にんにく	1かけ
ねぎ	1本
しょうゆ	大さじ2
ごま油	大さじ½
こしょう	適宜

作り方

❶チンゲンサイは葉と茎を切り分けて、葉は斜めに細切りにし、茎は縦に細切りにする。
❷ハムは細切りにする。
❸にんにくとねぎはみじん切りにし、ねぎはしょうゆをまぜ合わせる。
❹なべを熱してごま油を引き、にんにくを弱火でいため、いい香りがしてきたら、ハムとチンゲンサイの茎を入れていためる。茎がしんなりしたら湯3カップをジャーッと加える。
❺煮立ったら葉を加え、味をみながら③のねぎしょうゆを適宜加えて味をととのえる。

トマト味のスープに、マカロニは
下ゆでなしでじかに入れて煮るんだ

調理時間20分

マカロニ入りベーコンチャウダー

材料（２人分）

マカロニ……………………100ｇ
ベーコン …………………… ４枚
セロリ ……………………… １本
黄ピーマン ………………… ½個
にんにく ………………… １かけ
トマトジュース（190ｇ入り）
………………………… ２缶
固形スープ ………………… １個
塩、こしょう …………各適宜
オリーブ油…………大さじ１

作り方

❶ベーコンは２㎝幅に切る。
❷セロリは筋をピーラーでむき、斜め薄切りにする。葉は適当な大きさにちぎる。ピーマンはへたと種をとって縦に細切りにする。にんにくはみじん切りにする。
❸なべを熱してオリーブ油を引き、にんにくを弱火でいためる。いい香りがしてきたらベーコンを加えて強火でいため、カリッとしたらセロリを加えて軽く塩、こしょうし、いため合わせる。
❹セロリが透き通ったらピーマンを加えてざっといため、水２カップ、トマトジュース、固形スープを加える。煮立ったら弱めの中火にしてマカロニを加え、袋の表示時間を目安に煮、やわらかくなったらセロリの葉を加え、塩、こしょうで味をととのえる。

玉ねぎを、時間をかけて焦がさない
ようにじっくりいためるのがコツ

オニオングラタンスープ

材料（２人分）

玉ねぎ…………… １個
固形スープ……… ½個
レモン汁…… 大さじ½
塩、こしょう… 各少々
バゲットの輪切り
…………………… 適宜
ピザ用チーズ
…………… 大さじ４
バター……… 大さじ２
サラダ油…… 小さじ１

作り方

❶玉ねぎは縦半分に切って、横に薄切りにする。

❷フライパンを熱してサラダ油を引き、バターを入れる。バターがジュワーッととけたら玉ねぎを入れ、強めの中火で、きつね色になるまでしっかりいためる。

❸湯３カップと固形スープを②に加える。煮立ったら弱火にして５分ほど煮、味をみながら塩、こしょうを加え、レモン汁も加える。

❹耐熱用の器に③をよそい、バゲットを浮かべてチーズを散らす。オーブントースターでチーズが香ばしい色になるまで焼く。

★オーブンの場合は250度で５〜７分焼く。

調理時間30分

ひんやりしたなめらかな口当たりは、
ホッとなごむ味だよね

調理時間30分

かぼちゃの冷たいポタージュ

材料（２人分）

かぼちゃ
…¼個（約250ｇ）
牛乳……… ２カップ
A ┌生クリーム
……¼カップ
コンデンスミルク
└大さじ½～１
ローリエ……… １枚
固形スープ……½個
塩、こしょう…各適宜
仕上げ用
生クリーム、シナモン、こしょう各適宜

作り方
❶かぼちゃは種とわた、皮をとり除き、３㎝角に切る。なべにひたひたの水と入れて、ローリエ、固形スープを加え、蓋をしてゆでる。
❷かぼちゃがやわらかくなったら火からおろし、ローリエを除いてあら熱をとり、ミキサーにかける。
❸なめらかになったら牛乳を加え、さらにミキサーにかける。味をみながら塩、こしょうでととのえる。
❹ボールに移してラップをかけ、冷蔵庫で30分冷やす。
❺しっかり冷えたらAを加えまぜ、味が薄ければ塩、こしょうでととのえる。
❻器に盛って仕上げ用の生クリームをかけ、シナモン、こしょうを振る。

仕上げのバリエーション

あったか仕上げも美味
かぼちゃのポタージュ

材料（２人分）
かぼちゃ¼個（約250ｇ）
固形スープ…………½個
牛乳…………… １カップ
生クリーム …½カップ強
A ┌塩 ………… ２つまみ
こしょう ………適宜
└シナモン ………少々

作り方
❶かぼちゃは種、わた、皮をとって２㎝角に切り、水２カップに固形スープを加えて、やわらかく煮る。
❷火を止めて木べらでペースト状につぶし、牛乳、生クリームを加え、火をつけてAで味をつけ、生クリーム（分量外）をかける。

調理時間20分

パスタ・めん・パン

ごはん物

汁・スープ

ケンタロウ絶品！おかず

副材料でも引ける 材料別・料理別索引（五十音順）

肉類

豚肉

鶏肉

牛肉

ひき肉

ソーセージ・ハム・ベーコン・その他

魚貝類

かじき

さわら

鮭

まぐろ

さんま

貝類

えび・たこ・いか

加工品・缶詰め他

卵

とうふ＆大豆製品

野菜類

ほうれんそう

Profile

ケンタロウ

1972年、料理家・小林カツ代の長男として生まれる。
武蔵野美術大学在学中からイラストレーターとして活動を開始。そして気がついたら料理研究家に。若者のライフスタイルから提案される、気どらず、手軽で、うまいレシピが若い男女や主婦層に大きな支持を得る。
著書は、「ケンタロウごはん」（主婦の友社）をはじめ多数。

料理製作・エッセイ	ケンタロウ
アートディレクション	太田雅貴
カバー・表紙・本文デザイン	太田デザイン事務所
	冨沢重子　宮下真一　佐々木千春
	大堀　潤　井上宏樹
撮影	渡邉文彦　白根正治
スタイリスト	板井典夫　坂上嘉代　広沢京子
校正	大木秋子
構成・編集	大下康子
デスク	細田真理子（主婦の友社）

主婦の友新実用BOOKS

決定版　ケンタロウ絶品！おかず

2003年11月10日　第 1 刷発行
2005年10月31日　第16刷発行

著　者　ケンタロウ
発行者　村松邦彦
発行所　株式会社　主婦の友社
〒101-8911　東京都千代田区神田駿河台 2 - 9
電話（編集）03-5280-7537
（販売）03-5280-7551
印刷所　大日本印刷株式会社

もし、落丁、乱丁、その他不良の品がありましたら、おとりかえいたします。お買い求めの書店か、主婦の友社資材刊行課（電話03-5280-7590）へお申しいでください。

ISBN4-07-240371-7